디너코스를 기다리는 중

디너코스를 기다리는 중

발 행 | 2024년 8월 6일
저 자 | 강승연 권민성 김수경 김혜영 박선미 안재욱 이화랑
북디렉터 | 조진영
표지디자인 | 김소현

펴낸이 | 한건희
펴낸곳 | 주식회사 부크크
출판사등록 | 2014.07.15.(제2014-16호)
주 소 | 서울특별시 금천구 가산디지털1로 119 SK트윈타워 A동 305호
전 화 | 1670-8316
이메일 | info@bookk.co.kr

ISBN | 979-11-410-9977-0

www.bookk.co.kr

디너코스를
기다리는 중

강승연
권민성
김수경
김혜영
박선미
안재욱
이화랑

CONTENT

행복한, 변하고 있는 사람, 메리   권민성

나, 다시 피어날 것 같아   김수경

여전히 디너코스를 기다리는 중　　　　　김혜영

오늘도 성장 중　　　　　박선미

나를 가슴 뛰게 하는 것은 무엇일까요?

잠시 숨을 고르고 나를 깊숙이 들여다보고 나를 만나는 순간, 느껴보셨나요?

가슴 깊이 울렁이는 나의 모습들

그동안 돌보지 못한 나를 들여다보고, 보듬어 주고, 꼭 안아 주는 동안

잊고 있었던 내 안의 설렘이 조금씩 꿈틀댄다면, 참 행복할 것입니다

여기 일곱 분 코치님의 설렘들을 모아 봤습니다

빛을 담은 글쓰기코칭 과정을 통해 만난 일곱 분 코치님들이 두달 동안의

만남 동안 코칭으로 질문하고 서로의 마음을 끌어내고 마음속 깊은 곳의

일렁임을 소중하게 모아 글로 엮었습니다. 어떤 형식에 얽매이지 않았고 잘

쓰려고 애쓰지 않았습니다. 그저 마음을 내어 보일 수 있도록 코칭으로

함께하고 그래서 조심히 꺼내 놓은 내 마음의 울림을 그대로 담았습니다

이 글들은 우리들 삶의 여정 같습니다

나와 내 주변의 굴레 안에서 열심히 살아온 우리들의 삶에서 무거움을 잠시

내려놓고 '쉼'을 가져봅니다. 나를 마주하는 것이 그 시작이었습니다

나를 마주하는 것에서 행복을 찾고, 그 행복이 글쓰기의 출발이 되었습니다

'나'로 시작해 '꿈'을 찾기까지 여덟 갈래의 여정 안에서 우리는 함께하며

서로 다른 색깔과 다른 빛을 내었고, 그 어우러진 빛깔 하나하나가

다 곱고 소중해서 그대로 고스란히 담았습니다

일곱 분의 마음을 담은 이 한 권의 책이 설렘의 시작이 되어서 또 다른

꿈을 꾸는 우리가 되었으면 하는 바람입니다

그것으로 우리는 정말 행복할 것 같습니다

감사드립니다

2024년 6월

빛을 담은 글쓰기 코칭 조진영

나와 만나는 것은 모든 것의 출발입니다
조용히 마주한 나는 어떤 모습인가요?

따뜻한 하루

강승연

강승연

▌현 ㈜이음길HR 전직지원 사업본부 위원

현 한국코치협회 역량강화 위원국 연구국 위원

전 The JoongAng Plus 〈환승직업〉전문가 평가 참여

전직지원강의, 멘토링, 커리어코칭의 형태로 나누고 있습니다.

▌직업상담사 1,2급, 사회복시사 2급,

▌(사)한국코치협회 인증코치 KPC

▌생애설계 코치, DISC 강사

▌서울시 일자리 카페 ('21~22, 취업, 진로상담, 자소서,면접컨설팅, 기업.직무분석)

▌불교레크리에션 전문지도사, 아카데미선그림 작가

▌〈대한민국 전문코치 백인백서(白人白書)〉2024,공저

나는 오뚝이다

나에게 보내는 글_ 〈환승직업〉에 성공한 나는 오뚝이

나는 '오뚝이'. 밑을 무겁게 하여 아무렇게나 굴려도 오뚝오뚝 일어나는 어린아이의 장난감. 트로트가수의 '오뚝이 인생'에 나오는 가사 중 '걱정 하지 마, 고민 하지 마 까짓것 해보는 거야, 걱정이랑 잊어, 고민이랑 버려, 다시 해보는 거다. 야야야 내가 누구냐 오뚝이란다.' 내 마음과 같은 이 가사를 좋아한다.

일이든 공부든 나에게 처음부터 쉬운 것은 없었다. 대학 졸업 후 바로 결혼을 한 탓에 10년 넘게 아이들을 키우며 주부로 지내다가 직업을 갖기엔 어려움이 많았다. 그러다 큰 아이가 초등 3학년쯤 아이 학습을 지도해 주시던 학습지 선생님의 소개로 일을 시작 하게 된 D 학습지 회사 선생님 나의 첫 직장이 되었다. 사회에 나가 일을 한다는 설렘도 잠시 적응해 나가는 과정은 녹녹지 않았다. 일을 포기하고 싶은 순간, 오뚝이처럼 일어나 노력하면서 일과 가정 일을 병행해 나갔다. 그 결과 3년 만에 전국 Top 우수 교사로 상을 받고 포상으로 자가용도 받았다.   그리고 그 해 성공한 주부 학습지교사로 중앙일보 기사에 연재되었다. 지금도 그 순간을 떠올려 볼 때면 그 열정과 노력에 스스로 나에게 박수를 보내고 싶어진다.

이후 학습지, 도서 관련 교육회사에서 교육센터를 운영하며 23년 관리자 생활을 하다가 2020년 코로나 등의 환경적인 변화 속에 퇴사를 결심하게 되었다. 이후 주변 지인들로부터 교육 관련 일들을 함께 해보자는 권유도 많이 받았지만, 제2의 커리어는 다른 분야에서 일을 하고 싶었다. 실업급여를 받으며 바로 공부하여 합격이 된 '직업상담사 2급' 자격증을 기반으로 서울시청의 '청년일자리 카페'에서 청년들의 취업을 지원하며, 자소서, 이력서 클리닉을 하는 업무를 시작하게 되었다. 제2의 경력 전환에 안정적으로 성공할 수 있었던 것이다. 그렇게 할 수 있었던 나의 강점을 뒤돌아보면 힘든 순간 오뚝이처럼 우뚝 설 수 있는 긍정의 힘이 아니었을까!

현재도 일과 배움에 대한 노력은 계속 진행 중이다. 전직 지원 컨설팅 분야의 전문가로 '직업상담사 1급', 한국코치협회 'KPC', '생애설계 코치', '청소년 진로상담사', '사회복지사 2급', '요양보호사' 등 직무와 관련된 영역의 전문성을 갖추기 위해 자격증 등을 취득하였다. 늦었다고 생각할 때가 가장 빠르다고 한 것처럼 용기를 내어 대학원도 진학하여 공부와 일을 병행하고 있다. 인생의 퇴직, 전직 등의 변화 시점에 전직지원 컨설팅과 커리어 코칭을 하며 한 분의 고객을 만나기 위해 장거리 출장이 잡힐 땐 때론 몸도 힘들고 마음도 지치지만 그분들의 삶의 진솔한 이야기를 들으며 배우고 또 경력 전환 시점에 도움을 드릴 수 있는 내 일에 대한 보람이 크다. The JoongAng plus(중앙일보)에서 시리즈로 다루고 있는 40대~50대 추천 직업, 전업 성공 이야기를 다룬 〈환승 직업〉편, 전문가들 평가에도 참여하며 나 역시 제2의 직업, 전직 지원 컨설턴트로서 환승 직업에 성공하였으니 뿌듯한 생각이 든다.

김형석 연세대학교 명예교수의 '100년을 살아보니 (2015, 덴스토리)'에 이런 글이 있다.

'서른 살까지는 근간이 되는 뿌리를 만드는 시간입니다.
무조건 많이 배워야 합니다.
일을 할 때는 돈보다 가치를 추구해야 합니다.
그러면 일이 또 다른 일을 낳고, 수입이 더 크게 증가합니다.

어느 분야에서든 남보다 앞서 나가기만 하면
경제적인 문제는 크게 고민하지 않아도 됩니다.
가장 행복한 시기는 환갑부터입니다.
75세까지는 성장하는 것도 가능하고,
성취를 유지 할 수 있습니다. 그러려면 계속 일하고 책을 많이
읽어야 합니다."

이제 중년이 넘은 이 시점 앞으로 어떤 삶을 살아가야 할지 시사하는 바가 큰 글이다.
내 삶의 방향에 좋은 글들을 많이 읽고 지침이 되면서 그렇게 살아갈 나를 마주한다.

행복

나에게 행복했던 시간은 언제일까?

경복궁이 내려다보이는 화실, 색을 머금은 붓과 선이 하나가 되어 오롯이 그림과 마주하는 이 시간 이 순간이면

나는 모든 것을 다 잊고 내가 좋아하는 것에만 몰두하게 된다.

매주 한 번씩 퇴근하고 숨 가쁘게 도착하는 이곳에서 나는 오롯이 나와 만난다. 이 시간 그저 행복하다.

그제 화실로 가던 날은 평상시와 달리 유난히 힘들었던 하루였다. 서운함으로 시작된 감정은 여러 가지 감정과 뒤섞여 부정적인 감정으로 나를 삼켜 버릴 듯 힘들게 했다. 화실에 도착하여 붓

과 분채 화구들을 하나하나 챙기면서 심호흡을 가다듬었다. 캠퍼스에 한 선, 한 선 그어내며 부정적인 생각과 감정들을 조금씩 걷어냈다. 조금씩 평온해지는 마음이 보인다. 감정에 휘둘렸구나! 하는 어리석은 마음을 걷어내는 순간 색을 두껍게 입힌 붓으로 선을 한번 굵게 그어본다.

색이 주는 위안과 아름다움, 행복한 기억들이 있다. 어린 시절부터 유난히 파란색을 좋아했다. 어린 마음에 분홍색은 촌스럽고 파랑은 왠지 세련되었다는 나만의 기준이 있었다. 모처럼 부모님과 백화점에 가서 맏딸을 예쁘게 입히고 싶어 하셨던 부모님은 분홍 꽃무늬 사주려고 하셨지만, 결국 내가 좋아하는 파랑 체크무늬 원피스를 사곤 했다. 부모님의 사랑 '분홍색'과 어린 자아의 '파란색' 어린 시절 부모님과 함께했던 행복한 기억들이 남아 있다.

어설프지만 붓에 색을 입히고 있는 지금 행복한 기억들로 마음이 따스하다.

미술 전공도 아니고 전문가도 아닌 내가 그림을 그리게 된 계기는 사랑하는 사람들에게 나의 그림을 선물하고 싶다는 생각에서이다. 사랑하는 두 아들에게 많은 재산을 물려줄 수 있는 부모는 아니지만 멋진 엄마의 그림 한편씩을 선물해 주고 싶다. 그리고 먼 훗날 "엄마가 그린 그림이야, 할머니가 그린 그림이야," 한다면 순간이라도 저승에서 행복할 수 있겠다. 생각이 들었다. 그리고 나와 인연한 좋은 분들에게도 그림 선물을 드리고 싶다.

그림을 그리는 것이 나에게 행복한 이유가 있었다. 평온한 마음으로 나를 알아차릴 수 있는 시간의 행복, 색이 주는 위안, 어린 시절의 행복한 기억들, 사랑하는 이들을 위한 행복한 소망들이 하나가 되어 있었다.

그렇다면 '행복'이란 그냥 내게 오는 것이 아닌 것 같다. 매 순간 내 마음을 잘 챙기기, 가까운 이에게 좋은 말로 대하기, 내가 하는 일에 최선을 다하고 있을 때 행복은 내 곁에 머물러 주는 것은 아닐까.

며칠 전 '세간해 연구소'에서 '당신이 행복하면 좋겠습니다.'라는 제목의 '자비경' 필사 노트를 선물 받았다.

사경 필사도 조금씩 해 보며 올 한 해 2024년

나와 사랑하는 이들을 위해 나는 항상 행복하기로 마음먹는다.

'행복하기로 마음먹은 만큼 행복하자'

아름다운 동행

보통 결혼을 할 때 두 사람의 결합이 좋고 나쁜지를 알기 위해 역술인에게 궁합을 알아보는 것이 보편적이다. 긴 인생을 함께 할 배우자를 선택할 때 단지 오행에 기준을 둔 궁합이 맞는다고 행복한 결혼생활을 할 수 있을까?

1000여명의 현자가 전하는 인생의 30가지 삶의 지혜를 담은 〈내가 알고 있는 걸 당신도 알게 된다면 / 지은이 칼 필레버〉에 나오는 대목이다. "오랫동안 행복한 결혼생활을 할 수 있었던 비결이 무엇입니까?" 하는 질문에 현자들에게서 가장 많이 나온 대답은 바로 "가장 친한 친구와 결혼을 했지"였다. 반대로 결혼에 실패한 사람들 중에는 이렇게 대답한 사람이 많았다. "우린 여인으로서는 좋았지만 친구가 되는 법은 알지 못했어."였다. 인생의 현자들은 편안하게 시간을 보낼 수 있는 친구 같은 사람을 배우자로 택하라고 책에서는 충고하고 있다. 이 대목에서 함께 할 배우자를 선택할 때 어떤 관점에서 선택해야 하는 지에 대해 생각하게 되었고 최근 상담을 했던 사례들이 떠올랐다.

기업에서 30년~40년 넘게 회사생활을 하고 퇴직이 1년 남은 시점에 집에서 근무 연수를 맞이하고 계신 분들과 전직 상담을 하게 되면 의외로 배우자와 관계적인 부분에서 어려워하는 분들이 많다. 며칠 전 상담으로 부산에 계신 한 여성분을 만났다. 40년 이상 **은행 근무를 하고 퇴직을 앞둔 1년 시점인 올해 1월부터 출근을 하지 않고 계신 분이였다. 남편 분은 이미 3년 전에 퇴직을 하였고 그 당시 본인은 출근을 하였기 때문에 남편의 변화에 큰 문제는 없었다고 하였다. 그러나 1월부터 집이라는 공간속에서 하루 24시간 함께 생활을 하다 보니, 기상하는 시간의 패턴, 음식을 먹은 패턴, TV를 보는 패턴등 사소한 것들을 맞추어 나가는데 많은 어려움 있었다고 호소하였다. 이제는 남편분과 생활규칙에 대해 서로 약속을 하여 각자의 시간은 방해하지 않고 존중해 주기, 함께하는 시간은 서로 배려하기를 정하고 잘 극복해 나가려고 노력하고 있는 중이라고 하였다. 이와 대조적으로 동일한 은행에서 퇴직을 맞이하게 된 또 다른 분은 지금 아내와 함께 보내는 시간들이 너무 행복하다고 하였다.

그리고 퇴직 후엔 2년 간 아내와 함께 캠핑카로 러시아, 유럽, 아프리카, 그리고 아메리카 대륙 횡단여행을 계획하고 있다고 하였다. 아내분과 성격이 잘 맞는지에 대한 질문에 아내는 INFP, 자신은 ISTJ 전혀 다른 성향의 사람이였다고 한다. 하지만 서로 다른 관점에서 좋아하게 된 여가가 '캠핑카로 여행하기'였단다. 이렇게 한 가지 공통의 여가, 캠핑카로 국내 여행을 함께 다니면서 서로의 다른 관점들을 이해하고 잘 이해하며 극복해 나갈 수 있었단다.

산업화 시대를 열심히 살아온 세대의 퇴직 전 후의 변화 속에 의외로 힘들어 하는 부분 중 하나가 아내와 대화, 소통관계이다. 그래서 나는 전직지원 과정 중 생애설계 코칭 '여가영역'에서 꼭 추천드리는 것이 있다. 배우자와 '여가궁합' 맞추어 보기이다. 자신과 배우자의 여가 꼴의 공통점과 차이점을 찾아 서로 맞는 여가를 맞추어 가는 것이다. 여가궁합을 맞추려면 서로에게 여가의 주인공이 되어야 한다.

'여기서 주인공이란 〈주목하라/ 인정하라/ 공유하라〉 뜻이다. 주목하라는 것은 상대의 여가 유형을 파악하여 상대방 입장에서 인정하고 최소 1개 이상은 함께 할 수 있도록 공유해야 한다는 것이다.'〈은퇴 후 여가설계/채준안,홍성아 지음〉

나 역시 남편과 반평생을 가깝게 살며 사랑과 갈등을 반복, 이제는 한 곳을 함께 바라보며 의지하는 소중한 동반자가 되었다. 아직은 구체적인 여가를 함께 즐기지는 못하지만 배우는 것을 좋아하는 공통점이 있고, 종교에 대한 가치관이 같다 보니 사찰여행 가는 것을 좋아한다. 우리나라 문화예술에 대해서도 관심이 많으니 함께 공부하며 사찰이 있는 우리나라의 아름다운 곳으로 여행도 하면서 예쁜 추억들을 쌓아 만들어가며 살고 싶다.

엄마에게 보내는 글

울 엄마처럼 맘 고우신 분은 내 생애 다시 만나지 못할 거예요.

상실감을 색으로 표현하면 나는 백색이 떠오른다. 병실에 아픈 몸으로 누워 계셨던 나의 엄마. 제대로 돌봐 드리지도 못했고 임종을 지켜드리지 못했던 죄책감으로 엄마와 이별하고 마음의 먹먹함으로 힘들게 보냈던 시간들...

'며칠 후면 엄마 기일인데 벌써 10년이 지났네.'

봄, 여름, 가을, 겨울 시간이 흐르고 바쁘게 살면서 엄마의 모습도 조금씩 잊고 지내고 있는 것 같다. 이제는 조금씩 감정도 무뎌지고 한 번씩 엄마의 모습을 떠올리면 감사함, 미안함, 애틋함. 복합된 백색과 같은 아픔이 느껴진다.

금강경' 〈법계통화분(法界通化分 第十九)〉 / 참고자료 ■ 생과 사의 큰 道 편 (대한불교조계종)에 이런 내용도 있다.

【한 제자가 스님에게 여쭙기를 49齋나 천도재(薦度齋)를 올리는 것이 영가에게 어떤 이익이 있나이까? 스승께서 말씀하시기를 천지에는 묘하게 서로 응하는 이치가 있나니, 사람이 땅에 곡식을 심고 비료를 주면 땅도 무정한 것이며, 비료도 또한 무정한 것이언마는, 그 곡출에 효과의 차를 내나니, 무정한 곡식도 그러하거든 하물며 최령한 사람이 어찌 정성에 감흥이 없으리오. 모든 사람이 돌아간 영가를 위해 일심으로 발원을 올리고 축원도 드리며 헌공도 하고 선지식의 설법도 한즉, 마음과 마음이 서로 통하고 기운과 기운이 서로 응하여, 바로 천도를 받을 수 있다...(중략) 천도 법문을 듣는 영가도 있고 못 듣는 영가도 있으나 영가가 그 말을 그대로 알아들어서 깨침을 얻는 것보다 그 들이는 공력이 저 영혼에 쏠히어서 알지 못하는 가운데 천도의 인(凶)이 되나리라. 그리하여 마치 파리가 제 힘으로는 천리를 갈 수 없으나 천리마의 몸에 붙으면 부지중에 천리를 갈 수 있듯이 그 인연으로 차차 천도되느니라】

정성스러운 마음, 일심으로 마음을 전달하면 좋은 에너지로도 천도 될 수 있다는 뜻인 것 같다. 지극한 정성이 중요하다.

95세로 점점 걷기가 불편해 하시는 연로하신 아버지가 올핸 부턴 엄마 기일을 지내기가 어렵겠다고 남동생 편에 소식을 전해주었다. 이번 기일엔 엄마 좋아 하시던 참외 꼭 사서 놓고 술 한잔

올려야겠다.

"내 생애 엄마처럼 고운 분은 다시 만나기 힘들 거예요 엄마는 이 생애에서 저희 형제들에게 당신의 業을 모두 갚고 가셨을 겁니다.

좋은 곳에서 행복하소서~ 엄마! 다시 불러 보는 나의 엄마,

고맙고 감사했습니다."

따뜻한 하루

휴일 아침 일어나
간단한 복장으로
집 가까이 있는 홍제천
물소리를 들으며 걸을 때
마음이 따뜻해진다

처음 가본 카페가 내 취향인데
커피향도 좋으며
친절한 바리스터가
만들어준 커피 한 모금 마실 때
마음이 따뜻해진다

길 찾기에 익숙지 않아
당황하는 나에게
앱을 켜고 동행으로 길을
친철하게 안내해 주는
젊은 친구들을 만났을 때
마음이 따뜻해진다

일상에서 그저
지나칠 수 있는 일들
당연하게 생각하지 않는
친구의 전화 한 통으로
감사함을 전해올 때
마음이 따뜻해진다

세상
주변엔
마음이 따뜻한
일들이 참 많아
행복하다

아들에게 보내는 편지

너를 키우며 엄마는 참 행복했다.

결혼식장에 입장하는 네 모습이 빛났다.

사랑하는 아들!!

인생에서 가장 행복했던 순간이 언제인가요? 라는 질문을 받으면 엄마는 언제나 하얀 눈이 펑펑 내리던 88.1.24 일요일 새벽 네가 태어난 순간이라고 말한다. 고사리 같았던 너의 손가락, 발가락을 확인하며 엄마, 아빠 곁에 와 준 보물 같은 너를 만나고 얼마나 행복했는지! 그날의 기억은 평생 잊지 못할 것 같다. 며칠 전 결혼식 사진 장식에 필요하다며 아빠, 엄마 어린 시절 사진을 찾았지? 정말 몰랐는데 엄마 어린 시절 모습과 네 어린 시절 모습이 무척이나 닮았더구나.

그동안 기대하고 바라던 일이었지만 막상 네가 결혼식을 한다고 생각하니 엄마는 여러 가지 감정으로 감회가 새롭다. 가장 행복한 날이 될 너의 결혼식을 맞이하게 되었으니, 우선은 감사하구나!! 어린 시절부터 호기심이 많았던 탓에 잠시도 가만히 있지 않았던 건강했던 아들, 너 기억나니? 대학로에 너를 데리고 연극을 보러 갔던 날, 순간 너를 잃어버리고 찾아 헤매다가 그림을 그리고 있는 화가 아저씨 앞에서 신기하다며 쪼그리고 앉아 있었지. 아마 네가 6살 정도일 거야. 아찔하고 가슴 철렁했던 그날의 순간을 생각하면 너를 찾아 그저 감사한 마음이었다. 그리고 초등학교 1학년 때 엄마 생일날 네가 사준 머리핀과 생일 카드 지금도 생각하면 가슴이 벅차다.

너는 늘 동생을 무척이나 잘 챙겨 주었지. 책임감이 강한 형으로 항상 양보하고 먼저 동생을 챙기더니 지금도 역시 듬직한 형으로 엄마보다 네 말을 더 잘 듣는 것 같다. 앞으로도 우애가 깊은 두 형제의 모습을 엄마는 기대한다.

아들, 초등학교 4학년쯤인가? 작은 카페를 빌려 단독 피아노 연주를 하던 날, 친구들과 친구 부모님을 초대하고

네가 쇼팽의 어려운 곡들을 아름답게 연주하여 모두 놀라움과 부러움으로 칭찬을 해 주셨지. 그때 너를 지도 해주신 피아노 선생님께도 참 감사했다. 너의 결혼식을 보면 가장 많이 기뻐해 주실 선생님이실 텐데..

네가 군대 입대하여 엄마에게 보내온 첫 편지와 소포로 보내온 입고 갔던 너의 사복을 보고 얼마나 엉엉 울었는지... 홈피를 했던 시절이라서 너의 상사분과 친구 맺기를 하고 홈피 속에 네 모습, 사진을 찾기 위해 몇 번씩 클릭하며 밤을 새웠던 시간들. 아빠는 지금도 치즈 케익만 보면 얘기한다. 큰아들이 좋아해 군대 면회 갈 때 항상 사가지고 갔다고~ 무사히 제대하고 듬직한 아들로 돌아와 주어 감사했다.

너는 우리 집에 첫 번째 아기였기 때문에 할아버지, 할머니를 비롯해 삼촌 이모들에게도 많은 사랑을 받으며 자랐지.

이제는 곁에 안 계신 친할머니도 외할머니도 얼마나 기뻐하실까 하는 생각이 드는구나. '우리 강아지, 우리 강아지' 하며 손자들 중에서도 가장 예뻐해 주셨지. 이제 돌이켜 생각해 보면 이분들의 사랑으로 네가 듬직하게 잘 자라서 바른 어른이 된 것 같다.

아들아! 그동안 우리에게 잘했던 것처럼 그 이상으로 새로운 너의 아내에게 그리고 부모님들에게 효도를 잘하고 함께 행복하기를 바란다. 더 배려하고 세심히 챙겨주는 착하고 듬직한 남편이 되길 바란다. 오늘은 참 행복한 날이다. 더 크게 크게 축하한다.

2024년 3월 31일 예쁜 신부 맞이하는 멋진 아들에게

더없이 행복한 아빠, 엄마가...

마음의 조화

　명상의 과정, 마음공부를 하는 사람들에게 그 과정에 대한 설명을 가장 적절하고 이해하기 쉽게 설명할 수 있는 그림이 〈심우도〉라는 생각이 든다. 소를 '불성'에 비유하고 있지만, 불교가 아닌 또 다른 관점에서 '본래 마음' '참 자아'라고 이해해도 좋을 것 같다. 명상수업에 참여하며 수행과 관련된, 간화선, 조사선등의 이론적인 배경과 원리를 배우고 호흡법등을　연습 하면서 명상은 궁극에 '참 나'를 발견하는 과정이라고 이해하게 되었다.

　명상을 통해 내 마음의 고요한 조화를 이룰 수 있다. 마음의 조화를 이루기 위해서는 나에 대한 집착을 버린다. 그래서 많은 선인들은 '집착 에서 벗어나라' 하신 것 같다. '나를 내려놓다'는 라는 뜻은 나에 대한 집착된 마음을 내려놓고 모든 현상을 있는 그대로 볼 수 있는 '지혜'를 얻는 것, 그리고 동시에 내면에서 샘솟는 '자비심'으로 생활 속에서 마주하는 일과 사람들에게 좋은 말과 표정으로 지지해 주고 함께 하는 것, 이것이 진정한 행복이라고 배우고 생각하게 되었다.

　아직은 무한한 자비심을 갖기에 많이 부족하지만 이제 그 마음의 이루겠다는 원(願)세웠으니, 마음공부의 과정을 가장 쉽게 이해할 수 있는 그림 〈심우도〉를 한 번 더 되새겨본다.

□ 심우도(尋牛圖)

방황하는 자신의 본성을 발견하고 깨달음에 이르기까지 과정을 야생의 소를 길들이는 데 비유하여 10단계로 그림 그림을 심우도 또는 십우로라고 한다. 인간에게는 누구나 불성(佛性)이 있는데 이 불성을 소에 비유한 것이다.

곽암의 심우도를 살펴보면 다음과 같다.

1. 심우 (尋牛 : 찾을심, 소우)

인간이 소, 즉 자신의 본성이 무엇인가를 찾기 위하여 원심(願心)을 일으키는 단계이다. 소를 찾는 동자가 망과 고삐를 들고 산속을 헤매고 있는 모습이다.

2. 견적 (見跡 : 볼견, 자취적)

깊은 마음속으로 들어가 소의 발자국을 발견하는 단계이다. 그 발자국을 보느냐 못 보느냐는 오로지 목동의 마음에 달려 있다. 순수한 열의를 가지고 꾸준히 정진하면 본성의 자취를 어렴풋이 느끼게 된다는 것을 의미한다.

3. 견우(見牛)

발자국을 따라 가다가 마침내 마음 깊은 숲 속에 방목되고 있는
소를 발견한다. 즉 자신의 성품을 보아 견성함이 눈앞에 다다랐음
을 보여준다.

4. 득우(得牛)

마음속에 있는 소를 보았으니 단단히 붙들어야 한다. 소는 기회
만 있으면 도망치려 한다. 이 경지를 선종에서는 견성(見性)이라
하는데 땅 속에서 제련되지 않은 금들을 막 찾아낸 것과 같은 상
태로 많이 표현된다. 이때의 소는 실제로 검은색을 띤 사나운 모습
으로 묘사되는데 이는 삼독(三毒)에 물든 거친 본성을 의미한다.

5. 목우(牧牛)

소의 야성을 길들이기 위해 소의 코에 코뚜레를 한다. 삼독의
때를 벗겨내는 과정으로 가장 중요시 되는 단계이다. 소가 유순하
게 길들여지기 전에 달아나버리면 다시는 찾기 어렵다는 것이다.
이 단계에서 소가 차차 흰색을 변화되는 것을 볼 수 있다.

6. 기우귀가(騎牛歸家)

잘 길들여진 소를 타고 마음의 본성이 자기 자신으로 돌아가는
단계이다. 번뇌와 망상, 욕망이 끊겨져 소는 무심하고, 그 위에 있
는 목동도 무심하다. 이때의 소는 완전히 흰색이다. 목동이 구멍
없는 피를 부는 것은 육안으로 살필수 없는 본성에서 나오는 소리
를 의미한다.

7. 망우존인(忘牛存人)

집에 와보니 소는 간데없고 자신만 남았다. 결국 소는 자신의
심원에 도달하기 위한 방편이었으므로 이제 집으로 돌아왔으나 방
편은 잊어야 함을 보여 준다. 곧 자신이 깨쳤다는 자신을 버리는
경지이다. 자만의 병은 수행자가 뛰어 넘어야 할 가장 무서운 덫이
다. 이를 넘지 못하면 부처에도 걸리고 법에도 걸린다. 이것을 불
박법박(佛縛法縛)이라고 한다.

8. 인우구망(人牛俱忘)

소가 사라진 뒤에는 자기 자신도 잊어야 한다. 깨짐도, 깨쳤다는

법도, 깨쳤다는 사람도 없는 이것이 공(空)이다. 그래서 이 단계는 일원상(一圓相)으로 표현하였다. 이 경지에 이르러야만 완전한 깨달음을 이루게 된다.

9. 반본환원(返本還源)

텅 빈 원상 속에 자연 그대로의 모습이 비친다. 산은 산으로, 물은 물로, 조그마한 번뇌도 없는, 있는 그대로의 모습을 볼 수 있는 참된 지혜를 상징한다.

10. 입전수수(入廛垂手)

이제는 거리로 들어가 중생을 제도하는 경지이다. 이것이 부처의 이르는 가장 마지막 단계이다. 이때의 큰 포대는 중생들에게 베풀어줄 복과 적을 담고 있으며, 불교의 궁극적인 뜻이 중생구제에 있음을 상징화한 것이다.

〈지식백과 : 한국의 박물관 : 불교 편에서〉

60대 이후, 커리어의 변화

"나는 일이 인생의 기본적인 한 부분이라고 생각한다. 그 누구도 일 없이는 살 수가 없다. 그러나 나의 실수는 단 하나의 일, 즉 돈을 받고 하는 일(직장)만이 진정한 일이라고 생각한 것이었다. 이런 생각은 다른 종류의 일에 열심인 사람들을 모독하는 것이다."

'포트폴리오 인생'의 찰스 핸디(Charles Handy) 작가가 강조한 말이다.

진심으로 공감이 가는 말이다. 나 역시 50대 초반까지 한 직장에서 열심히 일을 하면서 나의 미래의 일에 대해 고민해 보거나 포트폴리오를 제대로 계획하지 못하였다. 그런 아쉬움이 많은 탓에 회사를 퇴사 한 후 나의 커리어 포트폴리오 설계를 위해 나의 경험과 강점 그리고 내가 중요하게 생각하는 사회봉사 가치에 기여할 수 있는 분야의 공부를 지속적으로 하고 있는 것 같다.

현재 중년 세대들의 미래 키워드는 Active(활동), Encore(일정), Autotelic(자기 목적적), Refir(재점화) 라고 한다. 미래 키워드 중에서 가장 눈에 띄인 단어는 Autotelic(자기 목적적)인데 '그 자체에 목적이 있는' 뜻. 'auto' 는 희랍어로 '자기 스스로의 것'을 의미하고, telic은 '목적'을 뜻하는 teros에서 나온 말로 인간에게는 어떤 목적지를 향해 걸어가는 보행의 모습도 있지만, 여기에서 의미하는 것은 즐거워서 춤을 추게 되는 춤과 같은 삶, 칙센미하이가 말하는 '플로Flow(몰입)' 상태의 삶을 말한다. 60대 이후부터는 내가 알아서 '자기목적적인 삶'을 잘 만드는 것은 곧 삶의 만족도를 높이는 것이고, 나의 인생2막이 달라질 수 있다는 뜻으로 해석할 수 있겠다.

　　'인생 2막 경력대안' 강의를 준비하면서 이번 주 글쓰기 주제인 '달콤함' 단어가 담고 있는 의미들과 연결시키게 되었다. '달콤함' 이란 단어를 생각하면 나는 '시간의 기다림', '균형과 조화', '단향의 숙성','실패 속에 성공', '땀 흘림','변화적응', 그리고 '재탄생','경제적 수입', '건강한 맛' 등의 단어가 떠올랐고 마치 성공한 한 사람의 인생 후반부가 이런 과정의 결과가 아니었을까! 라는 생각이 들었다. 그리고 글을 쓰며 현재 내 삶에서 이런 의미의 '달콤함' 추가하여 인생 후반부 '달콤한 인생' 주제의 주인공이 되어 내 경험들을 많은 사람들 앞에서 강의 하는 모습을 선명하게 그려 본다. 상담과 코칭의 경험으로 만난 고객의 경험 등을　정리하여 사례집도 만들고 싶다. 그래서 요즘은 틈틈이 상담과 강의가 있었던 날 바로 기록으로 남겨보려고 하는데 그 또한 쉽지 않음을 느낀다. 내가 생각하는 내 삶의 주인공인 모습은 내 경험을 사회에 기여할 수 있도록 참여와 봉사를 하며 그를 통해 여러 사람들과 만남의 기회도 많이 갖고, 변화하는 사회 적응 방법으로 학습의 기회를 지속한다.

그러므로 경제적 수입도 만들고, 요일 별로 참여할 수 있는 여가활동에 대한 계획도 세우며 건강한 그리고 달콤한 나의 인생의 주인공이 되는 것이다.

행복한, 변하고 있는 사람, 메리

권민성

권민성

▌ 항상 꿈을 꾸는 꿈쟁이 코치입니다.

▌ 현재는 국내, 외에서 겪은 다양한 지식과 경험을 바탕으로
청년들의 취업, 진로 상담가, 컨설턴트 활동하며,
코치로서의 새로운 삶을 꿈꾸고 있습니다.

▌ (사)한국코치협회 인증코치 KPC

▌ ㈜피플앤커리어그룹 멘토

▌ MITZ 코칭 운영총괄

행복한, 변하고 있는 사람, 메리!

"나" 에 대해서, 어떤 이야기를 써야 할까 고민하며, 일주일을 생각하고, 또 생각했다.

"나" 는 어떤 사람인가? 라는 질문에 대한 답을 하기 위해 고민하는 시간들이 싫지만은 않았고, 또 나를 돌아보고, 정리하는 시간, 그리고 내가 나아가고 있는 길이 올바른 방향인지에 대해 고민해 보는 시간이 되었던 것 같다.

4년 전, 대학원 수업에서 "감수성 훈련"을 하며, 사람들이 달아준 댓글을 열어보기도 했고, 최근 새로운 사람들, 또 예전에 만났던 사람들을 만나며 나의 변하지 않는 특성과, 또 변화하고 있는 내면의 모습 모두를 만날 수 있어 반가운 마음이 들었다.

4년 전의 내 모습은 여전히 밝았고, 사람들은 나를 "배려심 있고

" "좋은 사람" "눈물이 많은 사람" "그럼에도 성장하는 사람" "고민하는 사람"으로 봐주었던 듯하다.

최근 글쓰기 모임에서 만난 사람들이 나에게 "에너지 넘치는" "밝은" "겉으로는 부드럽고 속은 꽉 찬사람" 이라고 해준 것을 보면, 4년 동안 변하지 않고, 밝은 에너지를 가지고 잘 살아왔구나, 라는 생각이 들었다.

그리고, 나의 젊음, 그리고 많은 경험들이 부럽다는 말을 들으며, "나는 아직 가능성을 지닌 사람" 이라는 자신감마저 생긴 느낌이 드는 것을 보면, 어쩌면 이전의 나보다 더 자신감 뿜뿜하게 된 것은 아닌가 하는 마음이 들어 마음 한켠으로는 슬며시 웃음이 올라오기까지 했다.

그렇다면 나는 나의 삶을 "유지" 만 해 온 것일까? 라는 생각을 하며 잠시 돌아다보니, 그건 또 아닌 것 같다. 최근에 "코칭"을 다시 시작하게 되었는데, 그때는, 다만 형식적인 대화라서 배울 필요성을 못 느끼고, 가식이라고 느꼈던 것들이, 지금은 "어떻게 하면 가장 나답게 할 수 있을까?" 라며, 4년 전과 다른 자세로 "코칭"을 바라보게 된 내 모습을 보며, 또 대학원 동기 언니가 나에게 "민성쌤 좀 더 단단해지고, 명료해졌네요" 라고 하는 걸 들어보면, 밖을 유지하면서도 안을 채워온 시간이 아닐까, 라는 생각마저 든다.

나는 지금의 내 모습이, 꽤나 맘에 든다.

내가 나아가고 있는 이 방향이, 꽤나 대단해 보인다.

계속 이렇게 앞으로 나아가고 싶고, 계속 이렇게 행복하고 싶은 "메리"다.

오늘도, 내일도 나는 나를 사랑하며 행복한 메리가 되고 싶다.

나에게 행복이란?

"행복"했던 순간을 떠올리라는 오늘의 질문에 순간 멍하다가,

나 최근에 언제 제일 행복했더라? 라고 쥐어짜듯이 고민했다.

"금요일 저녁 집으로 돌아와 현관문을 열고, 신발을 벗고 발을 딛는 순간" 이라고 답했는데, 답하고 막상 본격 코칭 대화에 답변을 하다보니, 혼란스러움이 밀려 들어왔다.

사실 얼마전에 "행복"이라는 주제로 강연을 진행했던 적이 있다.

"행복"이란 "나답게 사는 것" 이라는 정의를 내리고, 강연을 진행했었는데..

오늘 코칭을 받던 순간에는 "어? 나답게 사는 건 뭐지?" 라는 막연함과 혼란스러움이 올라왔다. 최근에 나답게 바쁘게 에너지 넘치게 사는 게 내 모습이니, 2024년은 나답게 잘 시작했다고, 확신했던 내 자신이었는데, 막상 쥐어짜서 답한 말이 "집에 온 그 순간이라니.." 당황스러웠다.

"어떤 게 내 모습이지?" 라는 질문이 내면에서 올라왔는데,

어쩌면 내가 평생 고민해 왔던 주제이기도 한 것 같다.

생각해 보니 어릴 때는 "왜 난 이렇게 환경에 따라, 사람에 따라 태도가 바뀔까?" 라고 수도 없이 고민했던 순간들이 문득 떠올랐다. "내가 이상한 건가? 별종인가?" 라고 생각했던 적도 있는데, 글을 쓰는 이 시점에서 "에이, 이것도 내 모습이고, 저것도 내 모습이겠네" 라는 마음의 소리가 올라 온걸 보니, 나는 내 멋대로 살고 싶은 게 분명하다.

"사람들에게 영향을 끼치는 사람"

"누군가가 간절하게 도움이 필요할 때 떠올릴 수 있는 누군가" 가 되고 싶다는

그 인생의 큰 방향안에서, 내가 원하는 모습으로 살아가는 것,

그게 어쩌면 내가 원하는 행복이지 않을까?

사랑하기 때문에 갈등한다.

사랑하기 때문에 갈등이 일어난다.

오늘 나와 참 비슷한 친구를 만났다.

학생은 검사 결과 "생각이 많은 아이"인 것처럼 보였다. 원래 성향이, 생각이 많고, 꼬리에 꼬리를 무는 고유한 특성을 가진 친구였던 것이다. 그런데 이 학생은 스스로가 걱정이 너무 많고 스트레스를 너무 많이 받아서 그것이 또 걱정이라고 했다.

왜 그렇게 걱정과 불안이 많은 것 같냐고 물었더니 한참을 고민하더니 "잘하고 싶은 마음이 커서요"라고 용케 자기 마음속 욕구를 찾아냈다. 그럼, 잘하고 싶은 마음으로 일어나는 불안과 걱정들을

어떻게 하면 좋을까?라는 물음에 "굳이 그렇게까지 할 필요는 없어
"라고 저한테 말해주고 싶어요. "그냥 저를 믿고 하면 될 거 같아
요"라고 답했다.

　얼마나 기특하던지, 짧은 시간에 "나를 믿고, 나를 사랑하는 법"
을 찾아낸 것 같아 내가 다 기뻤다. 사실, 어쩌면, 나도 비슷한 고
민을 하고 있었던 때가 있어서, 아니, 지금도 하고 있어서..　더
크게 공감하고 응원했던 것 같기도 하다. 항상 "완벽한 모습"을 보
이고 싶어서, "그러면 안돼" "그거 아니야" 라고 수없이 나에게
외쳤던 순간들이 어쩌면, 나와, 타인 간의 갈등을 만들어 냈던 것
은 아닐까? 하기 싫고, 피하고 싶은 상황이 닥쳤을 때, "해내야 해"
라고 스스로에게 다짐하며, 억지로 억지로, 모든 이의 기대에 맞추
려 살아왔던 내 자신의 그 마음속에는 뭐가 있었던 걸까?

　가만히 생각해 보면, 어쩌면 "나와 내 주변 사람들이 잘, 행복하
게 지냈으면" 하는 마음 때문이었던 것 같다. 나와 내 주변인들의
행복은 바라되, 내 마음의 갈등으로 나 자신은 괴롭히는 일이 없기
를 간절히 바라본다.

나의 상실은 어디로부터 와서 어디로 가는가

나의 "상실"은 어디로부터 와서 어디로 가는가?

돌이켜 보면, 나의 상실은 삶의 매 순간을 함께하고 있었다.

목표를 정하면, 앞뒤 보지 않고, 수단 방법 가리지 않고 목표만 바라보고 가는 나였기에, 매 목표마다, 그 목표를 마쳤을 때 오는 그 "공허함" 이 나에게는 "상실감" 이였던 거 같다.

작게는 학교 시험부터, 크게는 대학 합격이나 취업까지, 막상하고 났을 때, "얻어지는 느낌" 보다 "목표가 사라지는 느낌" 이 더 강해서, "상실감"이 느껴졌던 것 같다는 생각이 들었다.

그리고 그 "상실감"을 또다시 채우기 위해 또 다른 높은 목표를 세우고 이루며 그렇게 매번 "열심히 하는" 사람으로 인생의 절반 이상을 살아왔던 것 같다. 목표를 이루기 위해서는, 항상 목표와 현재 나의 간극을 찾아야만 했고, 그 간극을 메꾸기 위해 뭐든 해야만 했다.

그렇게 뭐든 하다 보니, 나는 지쳐만 갔고, 목표를 성취하고도 그 성취를 온전히 누리지 못했다.

항상 나는 부족한 사람이었기 때문이다.

그러던 어느날, 어렴풋이 깨달았던 것은, "목표를 이루기 위한 삶", "행복해지기 위한 삶" 이 아닌, "지금이 행복한 삶"을 살아야 한다는 것이었다. 즉, 현재의 내 모습에 "만족"하고 "감사"할 줄 알아야 한다는 것이었다.

내가 가진 것을 소중히 다룰 줄 알게 되고,

가진 것을 잘 다룰 줄 알게 되니,

나의 "상실"은 어느새 내 삶에서 자취를 감추었다.

"현재를 사는 것" , 그것이 내가 "상실"을 보내준 방법이다.

나를 가슴뛰게 하는 것

"가슴이 뛴다." 라는 말을 들으니, 여러 가지 단어가 동시에 떠올랐다. 사실은 부정적인 단어가 가장 먼저, 강하게 떠오른 것은 사실이다.

"불안", "걱정"과 같은 단어들 말이다.

그런 거 말고, 나를 "설레게" 하는 것은 무엇일까?

다시 마음을 다잡고 나에게 물어보니,

이 3가지 단어가, 나에게는 다른 거 같으면서도 비슷한 거 같다는 오묘한 생각이 들었다.

나는 어떨 때 설레기도 하고, 불안하기도 하냐면,

"새로운 것을 할 때"이기 때문이다.

나는 MBTI 검사를 하면, ESTJ 혹은 ENTJ 가 나온다. TJ 는 너무나 강한 기질이라, 한동안 나는 계획된 것을 좋아하는, 논리적인 아이라고 정의내리며, 아니, 그 틀에 나를 가둬놓고 살고 있다고 생각했다.

그런데, 어느날 가만히 생각해 보니, 나는, 꽤 많이, 충동적으로 행동하고 있다는 것을 깨달았다. 때로, 인생의 중요한 갈림길에서도, Go 를 외치는 용기를 가진 사람임을 알게 되었다.

예를 들면, 한순간 충동적으로 캄보디아로 해외 취업을 결심하는 등의 행동 말이다.

그런걸 보면, 오히려 나는 10대, 20대를 지나오는 동안 "가슴 설레는 일"을 꾸준히 찾아왔던 것 같다.

예를 들면, 내가 잘하는 것보다는 "해보지 않은 것" 에 대해 욕심을 부렸다. "수학"과 "물리" 못하는 걸 뻔히 알면서도 "이과" 에 진학했고, "해외에서의 삶을 동경해서" 무작정 "해외"로 떠나기도 했다.

이와 같은 도전 덕분에 꽤나 버라이어티한 삶을 살아오며, 많은 경험을 쌓아왔다. 이 경험들이, 곧 "나"이고, 여태껏 해 왔던 선택들이, 지금의 나를 만들었음을 너무나도 잘 알고 있지만, 어느 순간, 이러한 감정들이 무뎌진 것은 아닐까 하는 마음이 슬며시 고개를 든다.

지금 이 글을 쓰는 시점에서, 나에게 한번 물어보고 싶다.

나는 지금, 요즘, "가슴 뛰는 일"을 하고 있는가?

이 방향이 내가 원하는 방향으로 가고 있는 삶이 맞는가?

태어남, 그리고 자라남,

바로 어제, 나의 생일이었다.

어제의 나는 고요했고, 고요한 나를 바라보며 잠시 놀랐다.

이토록 잔잔하고, 이토록 안정적이었던 생일이, 34년 만에 처음이었기 때문이다.

아무것도 하지 않고, 아무것도 기념하지 않는 하루였음에도, 행복하고, 또 요동치지 않으며, 평범했던 하루가 처음이어서 낯설고 많은 생각이 들었던 것 같다.

어릴 때부터, 나의 생일은 항상, 뭔가 만족스럽지 못했다.

2월 28일, 지내왔던 친구들과는 매듭짓고, 새로운 친구들은 아직 만나지 못한 상태여서, 항상 내 생일은 외로웠고, 축하받고 싶고, 뭔가 부족했다.

그래서 20대, 30대 초반까지는, 생일에는 뭔가 더 근사하게, 인정받고 싶었고, 부풀리고 싶었던 것 같다. 채워지지 않는 무언가를 밖에서 채우려고 했다.

그러다 보니 끊임없이, 계속 바랬고, 계속 찾아다녔고, 외부에서 내 행복을 채우려고 끊임없이 발버둥 쳤다.

하지만, 이제는 그러지 않아도 된다는 걸 알았다.

나의 행복은 내 안에서부터 와야 한다는 것을 알았다.

내 행복관리는 내가 알아서 해야 한다는 것을 말이다.

이제 나는, 나의 기분을 잘 알아차린다.

이제 나는, 내가 원하는 것을 말할 수 있다.

이제 나는, 남들보다 나를 조금 더 소중히 여기려고 노력한다.

태어나, 34년을 자라온 나는,

이제야 비로소 나를 온전히 볼 수 있는 힘을 갖게 되었다.

축하한다. 나 자신,

사랑한다. 민성아,

무엇을 얻고 싶은가?

"성장" 이라는 말은, 돌려 생각해 보면, 어떤 것들을 원하는가? 인 것 같기도 하다. 나는 어떤 모습으로 살아가고 싶은가?

얼마 전 우연한 기회로, 미래에 어떤 모습이고 싶은지에 대해 이야기할 기회가 있었다. 인간은 태어나 끊임없이 성장하고, 끊임없이 변화한다. 그래서, 끊임없이 꿈꾸어야 하며, 끊임없이 앞으로 나아가야 한다고 생각한다.

그 고민의 핵심에는,

그래서 나는 어떤 사람이 되고 싶은가?

어떤 것을 얻기 위한 것인가?

에 대한 고민이 있어야 한다는 것을 알게 되었다.

그래서, 나는 어떤 사람이 되고 싶냐고 질문을 받았을 때,

"김미경" 혹은 "김창옥" 같이 유명한 강연가가 되고 싶다고 했다.

더 나아가 "전세계" 적으로 유명한 사람이 되고 싶다고 말이다.

구체적으로 어떤 모습이고 싶냐는 말에는 가슴이 설레였다.

빨간색 원피스를 입은 단발의 카리스마 있는 내 모습이 그려졌다. 내 앞에 수천 명의 다양한 국적의 관객들, 그리고 수많은 사람들의 공감과 깨달음을 일으키는 강연을 영어로 하고 있는 내 모습, 그런 사람이 되고 싶다고, 그런 사람이 되기 위해 노력해야겠다고, 다짐했던 순간이었다.

그렇다면 지금 난 무엇을 해야 하는가?

지금 상태에서 머무르지 않고, 한 걸음 더 나아가야겠다고,
차근히 하나씩 새로운 것들을 시도하고,
또 내가 가진 것들을 발전시켜야겠다고,
다짐해 본다. 20년 뒤의 내 자신의 성장을 위해서 말이다.

나는 나다

오늘 글쓰기 시간에는 "어떤 사람으로 기억되고 싶은가요?" 라는 질문에, 가장 많이 고민했다.

나는, 내 생의 마지막 순간에, 어떻게 기억되고 싶지?

아무리 생각해도, 너무 막연했다. 망설여졌다.

어떤 사람이 되고 싶냐고?

나는 그대로의 내가 좋은데, 지금 그냥 이대로의 모습이면 좋겠는데? 라는 생각도 들었고, 최근 코칭을 하며, "만나보고 싶은 사람" "에너지가 넘치는 사람" 을 들으며 기분이 좋았던 기억들도 떠올랐다.

근데, 한편으로는 그런 생각도 들었다.

왜 그걸 생각해야 하지? 어차피 사람들은 사람들 내키는 대로 나를 생각할 텐데,

어떤 사람들은 나를 건방지고 버릇없는 사람으로 기억할 수도 있을 거고, 어떤 사람들은 나를 한없이 밝은 사람으로 기억할 수도 있을 거고, 어떤 사람들은 나를 카리스마 있고 진중한 사람으로 기억할 수도 있을 거다.

보여지는 것이 중요하다고 믿었던 때가 있다.
보여지는 게 나다, 라고 생각했던 때도 있었다.
그래서 나의 내면보다 보여지는 모습을 더 중요하게 여겼던 때도 있었던 듯 하다. 그런데 어쩌면, 다른 사람들에게 어떻게 기억되는지는 그다지 중요하지 않을지도 모른다.
나는 그냥, 내가 하고 싶은대로 살고,

그들은 그냥,
그들이 기억하고 싶은대로 나를 기억하면 될 거 같다.

그냥 나는, 나이고 싶다.

그냥 나는 "권민성"으로 기억되고 싶다.

나, 다시 피어날 것 같아

김수경

김수경

▌ 이십여년의 해외생활을 정리하고 한국에 들어와
제 2의 인생을 만들어가고 있습니다.
언제 어디서든 열심히 문을 두드리고 '나만의 길'을 찾는 것을 좋아합니다.

▌ 교사와 부모 전문 코칭기관 HOPE코칭 대표

▌ 국제코칭연맹 전문코치 PCC

▌ 갤럽 글로벌 강점코치

꼬마 K의 꿈

꼬마 K는 저녁 9시 뉴스에 나오는 아나운서를 뚫어져라 보고 있다. 예쁜 정장을 입고 대본을 다 외운 듯 또박또박 말하는 여자가 신기하다. 거울을 보며 여자의 말을 따라 한다. 눈을 감으면, 멋진 정장을 입고 수많은 사람들 앞에 서있는 자신이 보인다.

서울로 상경하여 아나운서가 되리라 꿈을 꾸던 K, 서울로 가되 재수는 절대 안 된다는 아버지의 엄포에 절대 떨어지지 않을 대학과 학과를 선택한다. 그리고 대학 사 년 내내 도서관에 박혀서 상식과 영어를 공부한다.

이십대의 K는 아나운서 시험에 열 번을 떨어진다. 아버지는 결국 그녀를 약품 회사에 낙하산으로 꽂아 넣는다. 그녀가 간 곳은 영업부. 아무도 그녀를 원하지 않는다. 매일 좋아하는 정장을 입고 출근을 하지만, 모두가 외근을 나가고 혼자 사무실을 지킬 뿐이다. 따가운 눈총을 받아내며 K는 자신이 할 수 있는 일을 찾는다. 고생하는 동료들을 위해 신제품을 쉽게 설명하는 자료를 만들고, 영어 원서를 뒤져서 관련 지식을 찾아내어 제품 설명에 신뢰를 더해준다. 조금씩 동료들의 인정을 받기 시작하고 입사 일 년쯤 되는 어느 날, K는 마침내 신제품 교육 강단에 선다. 완벽하게 짜인 대본을 들고, 정장에 하이힐을 신고 서울 대전 대구 부산, 전국을 돌며 강의를 한다.

서른 즈음에 임신을 하고 K는 회사를 그만둔다. 만삭의 어느 날 퇴근 시간 무렵, 정장에 하이힐을 신고 대형마트에 간다. 그리고 그날 저녁, 정장이 너무나 그리운 8개월 임산부의 사연을 적어 라디오에 보낸다. 글이 방송을 타고 크리스마스 아침에 고급 의류 쿠폰이 배달된다. K는 정장에 어울리는 롱코트를 고른다.

출산 후 K는 이것저것 배우러 다닌다. 그중에 영어 과정에 꽂히고, 과정을 수료하던 날, 당시 수원에 하나뿐이었던 영어서점을 찾아간다. 강의를 열어달라고 요청하는 K의 당돌함에 놀라 서점 사장님은 오케이를 한다. 이후 K의 영어 동화 과정은 그 서점의 시그니처 강의가 된다. 그렇게 일주일에 한 번 다시 정장을 입는다.

이후 대학에서 같은 과정의 강사직을 제안받은 K는 일주일에 두 번 강단에 선다. 완벽하게 영어로 강의하기 위해 A4 스무 장의 강의 대본을 통째로 외우고, 화이트 드레스셔츠에 스카프를 매고 폼 나게 강의를 한다.

30대 중반, K는 남편을 따라 외국으로 이주한다. 일년내내 더운 나라… 아무도 정장을 입지 않는다. K는 딸이 다니던 사립학교에 편지를 넣는다. 한국인 부모들을 위한 코디네이터로 자신을 채용해 달라고. 결국 서너 번의 인터뷰 끝에 최초의 외국인 교직원이 된다. K는 한국에서 가져온 정장 원피스에 구두를 신고 학교를 누빈다.

얼마 뒤, 한국국제학교가 문을 열었고, K는 교사 채용공고도 내지 않은 학교에 또 이력서를 보낸다. 영어로 수업을 하는 한국인 교사가 필요하다는, 교민의 바램을 전하는 편지와 함께. 한국에서 파견된 선생님들은 더운 나라로 오면서 티셔츠에 편한 바지만 챙겨왔다. 반듯한 정장을 입고 교단에 서는 교사는 K 하나뿐이다.

그렇게 스무 해를 넘게 외국에 살다가 한국에 돌아온 K, 다시 강의를 할 기회를 얻는다. 완벽한 강의 대본과 눈부신 화이트 드레스셔츠를 준비하며 하염없이 설렌다. 그리고 꿈의 강단에 다시 선 날, 그녀는 완벽하게 암기한 대본의 중간에서 길을 잃는다. 머릿속이 하얘지고 식은 땀이 나고 손이 떨려온다. 대본 없이 강의를 해 본 적이 없는 K. 암기를 해도 강의 중에 자꾸 길을 잃는다. 점점 대본이 의미가 없어지고, 중간에 길을 잃는 일은 늘어간다.

결국, K는 대본을 놓는다.

괜찮아… 괜찮아…

완벽하지 않아도

여전히 너는 괜찮은 강사야

K는 암기한 설명 대신 이야기를 하기 시작한다. 의도하지 않아도 흘러나오는 자신 안의 알맹이를 꺼내 놓는다. 그리고 마침내 그녀의 트레이드 마크와 같았던 정장을 벗는다.

꼬마 K의 꿈, 한 치의 어긋남도 없이 또박또박 말하는 아나운서의 모습, 완벽이라는 갑옷을 입고, 치열한 투사의 모습으로 버텨온 자신을 애틋하게 끌어안는다.

느슨한 스웨터로 갈아입는다.

행복 연습

　나에게 행복이란 잔뜩 들어간 힘을 빼는 것. 백일이면 습관을 만든다는데 몸에 힘을 빼는 일이 어깨뽕 빼듯 쉽게 되랴…오십 년 세월에 배긴 인의 경지이니. 힘은 고사하고 당장 한 시간을 빼서 쉼을 갖는 것도 힘든 사람임을 어쩌랴… 투 두 리스트에 나를 위한 것을 넣은 기억이 없다. 시간이 남으면 산책, 여행 이런 것들이 옵션처럼 붙어 있었을 뿐.

　그런 내가 회사를 만들며 '부모가 먼저 행복해야'로 시작하는 슬로건을 내걸었다. 서른 살 딸이 멀리 바다건너로 떠나고 나서야 겨우 내 행복을 묻고 있는데, 아이들과 고군분투 중인 부모들에게 "당신이 먼저 행복해야 해" 라고 말하고 있으니… 후회 가득한 선배의 한풀이처럼 들릴지도 모르겠다. 다른 건 몰라도, 지금 행복한 사람이고 싶어서, 행복이라는 단어를 입으로만 말하고 싶지 않아서, 나는 처음으로 투 두 리스트에 나를 위한 시간을 넣었다.

　그렇게 산에 오르게 되었고, 방해할 그 무엇도 없는 새벽을 선택했다. 오로지 '나만' 있는 세상. 지극히 이기적으로 '나만' 좋은 시간을 만들었다. 이기적이라니… 나를 위해 시간을 내는 것을 이기적이라고 말하는 걸 보면, 그 선택에 남을 버려야 할 만큼 무지막지한 용기가 필요했나 보다.

몸이 가면 마음이 따라온다고 하던데 고요와 평온 속에 정말 행복이 올까… 기대보다 긴장이 더 컸던 첫 새벽 산행을 기억한다. 그리고 8개월을 맞은 오늘 아침. 특별히 벼르지 않아도 입구에 들어서면서부터 온몸으로 전율이 온다. 신선한 찬 공기와 내 안에서 뿜어져 나오는 더운 숨이 교차하며, 명상에서 배운 대로 감사랑 감사랑 리듬을 타며 걷는다. 감사랑 감사랑 감사랑… (감사와 사랑을 붙여 만든 말)

억지 스마일을 만들 필요도 없이 입꼬리가 올라가고 눈꼬리가 내려가 얼굴이 동그래진다. 숨을 내쉬고 들이마시고, 이산화탄소가 나가고 산소가 들어오고, 미련이 사그라지고 빈틈으로 빛이 채워진다. 마음이 얼굴처럼 동그래진다. 온통 노랑노랑 해진다.

오르막길에 내가 이름 붙여 준 나무들에게 '안녕' 큰 소리로 말을 건다. 곧게 대쪽같이 올라간 학생회장, 무슨 일이 있었는지 중간에 90도로 꺾였다가 다시 90도로 꺾는 기적을 만든 역전이, 넓은 잎사귀로 엄마 품을 내어주는 마더, 볼수록 시크한 전나무 볼매, 그리고 나의 나무가 있다.

유독 뭉툭 뭉툭 잘린, 가지의 흔적이 많은 소나무. 스스로 부러뜨린 가지와 잘려 나간 여러 개의 가지로 나는 그의 분투를 알아보았다. 수많은 꿈이 남긴 흔적들 그리고 여전히 꿈을 꾸듯 가지를 뻗고 있는 모습. 그래서 더 당당하고 아름다운 나무에게 "너를 닮은 내가 좋다" 고백하고 꼭 안아본다.

터닝포인트를 지나 내려오는 길. 말끔히 청소된 교실 문이 열리고 순식간에 쏟아져 들어와 난장판을 만드는 아이들처럼, 텅 빈 마음으로 생각들이 밀려 들어오고 마구 날뛰기 시작한다. 숨이 빨라지고 흥분이 되고 발걸음이 빨라진다.

기분 좋은 두근거림, 설렘, 희망, 좋은 생각, 기대들이 한데 섞여 온몸 구석구석으로 긍정파워를 실어 보낸다. '인간들은 행복만 있으면 행복인 줄 모른다'는 드라마 속 말처럼 비움의 가치는 채움이 올 때 극대화되었다. 비워진 공간으로 열망이 들어오고 가슴이 다시 뛰는 순간. 그 순간이 행복 그래프의 피크 지점이었다.

행복도 연습이 필요한 거라면, 나를 위한 시간을 투 두 리스트에 1번으로 넣는 것, 내가 이기적으로 찾아가는 행복 여정의 시작이다. 잔뜩 힘이 들어간 어깨에 힘을 빼고 공간을 만드는 일이다. 이번 달에는 더 용기 내어 투 두 리스트 1번으로 이박 삼일 템플스테이를 넣었다.

우리 부부의 해피엔딩 드라마

부부로 살다 보면 사랑과 갈등의 드라마를 수도 없이 찍는 것 같다. '사랑과 전쟁'으로까지 가지 않았으니 그래도 잘 살았다 싶지만, 때로 갈등의 고랑은 꽤나 깊어서 빠져나오기가 쉽지 않았다.

지난 3년, 우리 부부가 오랜 외국 생활을 청산하고 한국에 돌아오면서 겪고 있는 갈등이 그렇다. 드라마 한 편이 다 나올 분량이다. 갈등과 위기, 클라이맥스 그리고 대전환과 엔딩까지…꽤나 극적이다.

우리의 갈등은 이 시기를 대하는 관점의 차이에서 시작되었다. 남편과 나는 아홉 살 차이로 각각 60대와 50대 중반이다. 남편은 은퇴 이후의 편안하고 안정된 삶을 기대했고, 나는 이제야 날개를 펴고 제2의 인생을 살아보자, 열정과 동기로 충만했다.

귀국하고 첫 일 년, 우리는 서로 눈치를 보고, 불만을 터뜨리며, 이제야 찾은 '나만의 인생'에 서로가 걸림돌인 것 마냥 다퉜다. 어느 집이나 부부가 다투면 대부분 남편이 손해를 보는 게 맞지만, 우리집은 더 그랬다. 남편은 오랜 세월 동안 회사에서는 비서가, 집에서는 마누라가 뭐하나 부족한 거 없이 보좌를 해서 자기 손으로 라면 한번 끓여본 적이 없고, 혼자 은행 한번 간 적이 없다.

이십 년 만에 돌아온 한국은 IT 강국답게 모든 게 전산화되어 있었고, 남편은 갑자기 하나부터 열까지 배워서, 자기가 직접 해야 하는 도전에 직면했다. 영락없이 선생님의 따뜻한 손길만을 기다리는 초등 일 학년의 모습이었다. 나는 그렇게 초등 선생님이 되어 남편 비서가 하던 일까지 다 떠안았다. 어디 한번 나가려고 하면 다 차려놓고 데워 먹는 방법까지 보여주고 가야 하고, 어딜 간다고 하면 지하철 노선까지 일일이 체크해 알려줘야 했다.

한번은 아파트 앞에, 편의점에 가서 소포를 보내고 오라고 했는데 몇 시간이 지나 들어왔다. 왜 늦었냐고 했더니, 누가 오면 도와달라고 하려고 계속 기다렸다고 한다. 보다 못한 편의점 알바생이 대신해 줬다고 하니… 변화를 수용하는 것 자체가 힘들어 보였다.

내 입에서 자꾸 한숨이 나오니 남편은 물어보는 거에 눈치를 보게 되고, 나는 또 그런 남편이 신경이 쓰여 제대로 한바탕 붙어 보지도 못하는 시간들이 흘렀다. 설상가상 우리 둘 다, 배우자 흉

보며 마음 터놓고 술 한잔 나눌 친구도 없었다.

우리의 대화는 이런 식이었다.

"뭐 좀 배워보면 어때요? "

"없어. 이대로가 좋은데 뭐 하러"

"당신도 좀 재미있게 살면 좋을 것 같은데"

"내가 이렇게 지내는 게 한심해 보이나 보네"

"한심한 게 아니라 답답할 것 같아서..."

우리는 각자가 원하는 것, 해야 하는 것 그리고 기대하는 것 사이에서 충돌했다. 나는 남편이 이제 가장으로서의 무게를 내려놓고 자신의 삶을 살기를 바랬지만, 입으로는 뭔가 의미 있는 일을 찾아야 하지 않겠냐며 내몰았다. 그가 진정으로 무엇을 원하는지 알려고 하지 않았고, 그의 불안을 품어주지도 못했다. 그저 배려와 걱정으로 포장하며 성급하게 무언가를 요구하고 자극했다.

각자의 입장을 명확히 할수록 좌절과 불안은 더욱 드러났다. 결국 어느 날, 다툼의 끝에서 나는 "이렇게 살고 싶지 않다. 어디 세컨드 하우스라도 얻어서 주말부부 하자"는 말을 내뱉고 말았다. 혼자서는 할 수 있는 게 거의 없는 남편에게는 참 가혹한 선언이 었으리라... 그러나 말처럼 집을 또 하나 구하는 것이 쉽지 않았고, 기껏해야 나 혼자 지방 한달살이를 훌쩍 다녀온 게 다였다. 그렇게 일 년여가 흘렀다.

어느 날 산책길에서 주민센터 강의 포스터를 본 남편은 슬그머니 핸드폰을 꺼내 사진을 찍었다. 얼마 후 어르신 스마트폰 수업에 나가더니 매주 이런저런 앱을 깔아왔다. 남편은 새로운 장난감을 만난 초등 아이처럼 신이 나 보였다. 혼자 온라인으로 주문을 하고 은행 일을 보고 음식 배달을 시키기 시작했다.

또 어느 날은 아버지 요리 교실에 나가 몇 가지 음식도 배워와서는 아침마다 샐러드를 만들어주고 내가 일이 바쁘면 알아서 차려 먹었다. 그러더니 드디어 혼자서도 놀 일을 만들기 시작했다. 매일 등산에 당구에 골프까지 수시로 들락날락하고 집에서는 뭔가에 도전한다며 영어책과 씨름을 한다. 초등학생 같던 남편이 어느새 혼자 놀기 좋아하는 고등학생의 모습을 하고 있었다.

남편은 그렇게 홀로서기를 해 나갔다. 그가 독립적으로 되어갈수록 우리의 눈치 보기는 줄어들었고 조금씩 평온과 감사가 늘어갔다. 나에게도 그에게도 희망이란 게 보이기 시작했다. 고랑에서 빠져나오니 이제야 그 깊고 어두컴컴한 속을 들여다볼 용기가 생긴다. 서로를 미워하고 불만을 쌓고 갈등이 폭발했던 그 시간들… 나를 정말 힘들게 한 건 무엇이었을까?

어쩌면 내 맘대로 정한 그의 은퇴 이후의 모습 아니었을까… 왜 좀 더 재미있게 살지 못하지… 왜 좀 더 의미 있게 살려고 하지 않지… 내 머리를 가득 채운 생각들이었다. 내가 남편을 믿었더라면, 결국에는 그가 자신이 원하는 모습을 찾을 거라고 응원과 지지를 보냈더라면 어땠을까… 우리는 훨씬 수월하게 적응기를 보내지 않았을까.

그렇게 하지 못했던 나를 또 가만히 들여다본다. 그래, 어쩌면 새로운 삶을 찾지 못할 거라는 깊은 불안을 그에게 투영했는지도 모르겠다. 그러고 보면 갈등은 스스로에 대한 신뢰를 잃어버렸을 때 나타나는 사탄의 모습인 것 같다.

귀국 삼 년 차,

나는 내 짐만 쏘옥 챙겨 이박삼일 템플스테이를 와 있고,

남편은 아쉬움 일도 없이 혼자 삼시세끼 잘 챙겨 먹고

황금 같은 자유를 만끽하고 있다.

해피앤딩이다.

울엄마

서울 올라가는 딸
열차 안까지 따라 들어와
잡은 손을 못 놓던
울 엄마는
기차가 출발하고 나서야
황급히 뛰어내렸다
팔다리가 다 까이고도 또 그랬다

성공하면 혼자 살면 되지
뭐 한다고 결혼하냐
나랑 둘이 살자 하던
울 엄마는
나이 든 사위가 어려워
딸 곁에도 못 자고
하룻밤 선잠을 자고 돌아갔다

늘그막에 수발들어주는 남편이
여직도 무서워
대꾸 한번을 못 하던
울 엄마는
밥 한술을 억지로 입에 넣었다가
몰래 게워 낸다고
아침마다 울며 하소연했다

멀리 산다 바쁘다 하며
살가운 목소리도
곁도 내주지 못하던
나는
울엄마 세상 떠나는 날에도
결국 허겁지겁 늦어
그렇게 쓸쓸히 보냈다

후회로 얼룩져
그리움도 차마 가지지 못했다
영원히 죄인이 된
나는
잘못을 묻고 또 묻고
스스로를 가두고
가슴에 돌덩이를 묻은 채 살았다

울엄마 떠나던 달에
울다 지쳐 애를 낳았는데
그 아이가 커서 그때 내 나이가 되었다
나는
나이 서른에도
엄마를 불러대는 딸을 보며
이제야, 내가 가엽다

너무 어렸구나
그렇게 일찍 헤어질 줄 몰랐구나
내가 그렇게 보고 싶다던
울 엄마는
미운 딸 서운함도 잊고
또 미안했겠구나
나를 두고 가서 가슴이 미어졌겠구나

천금 같던 돌덩이
꺽꺽 울음으로 토해내니
텅 빈 속이 또 서럽다
이제, 나도
서른 살 어린 딸로 돌아가볼까
그립다 소리 내어 부르면
울 엄마가 기뻐 오려나

봄, 설렘 그리고 오지랖

봄이 오는 길목
버스 정류장에 앉아
겨우내 꿉꿉해진 몸을
널어 말립니다

뒤척 뒤척
구석을 내어 놓습니다
이불 호청 뒤짚듯
속을 뒤집어 봅니다

초등 아이들 한 무리
우르르 몰려옵니다
청량리를 간다고 시끌시끌
도떼기 시장판을 만듭니다

친구를 밀치며 장난을 치는 한 녀석
풀린 운동화 끈이 펄러덕 펄러덕
저러다 걸려 넘어지겠네
말해줄까 묶어줄까

다가서니 움찔하는 녀석
발을 무심하게 툭 치고
무릎을 땅에 대고 앉아
예쁘게 리본 모양으로 매어줍니다

아 그런데
다른 한 쪽을 보니 시크한 매듭
문득 민망해지는데
고맙습니다 인사가 들립니다

봄기운 때문입니다
포슬포슬해진 몸이
설렘으로 발갛게 물들어
오지랖이 피어납니다

비, 뮌헨, 허그

비가 삼일째 내리고 있다. 오기 전에 최영미 시인의 뮌헨 일기를 괜히 읽었나 보다. '며칠째 비가 그치지 않는다. 이틀을 꼬박 방에 갇혀 지냈다.'로 시작하는 구절이 자꾸 떠올라 더욱 우울해진다. 패딩에 머플러, 부츠를 신고 출근하는 딸을 보니 밖에 나갈 엄두가 더 안 난다.

그러다 문득 '뮌헨이잖아. 비가 오고... 걸어야지' 하는 생각이 스쳤다. 두툼한 외투를 입고 백 팩을 메고 우산을 쓰고 나섰다. 무작정 걷기 시작했다. 걷다가 서점에 들어가고 걷다가 빵집도 들어가고 걷다가 기념품 가게도 들어가고 수퍼도 기웃거리고. 사람 없는 공원을 혼자 몇 바퀴 돌고…
딸이 퇴근할 때까지 여섯 시간을 걸었더라. 어딜 가겠다는 목적지가 없으니 큰길로 걷다가 작은 길로 들어서고 옆길로 새었다가 다시 돌아오고 그랬다. 쿠션 좋은 운동화 덕에 발걸음이 어찌나 가볍던지. 종일 빗속에 거리를 쏘다니니 내가 누군지 나이도 뭐도 다 잊고 다른 누군가가 된듯한 느낌이 들었다.

서점에서 딸에게 줄 카드를 한 장 골랐다. 예쁜 그림에 'Ich umarme dich'라고 적혀 있었다. 내가 아는 독일어는 이히 리베 디히 뿐인데... 가운데 단어는 뭐지. 아까부터 자꾸 눈이 가는, 어마 무시 큰 개를 데리고 들어와 책을 고르고 있는 할아버지. 비는 사람을 용감하게 한다.

"무슨 뜻이에요?"
나를 가만히 바라보는가 싶더니 할아버지가 팔을 크게 벌려 안는 포즈를 취한다.

"어머나!"
움찔하는 나를 보고 할아버지도 움찔
"허그?"
이내 둘이 같이 웃었다.

비, 뮌헨 그리고 허그

느낌대로, 살아본 하루였다. 자유로운 누군가가 되어.

나의 베프 나무에게

너의 유년기는
서툴게 아문
몇 개의 흉터로 남았구나

너의 십대는
작은 꿈들 사이에서
스스로 부러뜨린 꿈과
잘려 나간 여러 개의 꿈으로 남았구나

청춘의 너는
무수히 많은 잔가지를 내더니
중년이 되어서야
굵고 당당하게 가지를 뻗었구나

반백을 넘어 너는
또 꿈을 꾸는구나
사방으로 삐져나온 잔가지들이
다시 시작된 너의 분투를 보여주는구나

상처가 많은 너는
그럼에도 당당하고
여전히 곧은 너는
더할 나위 없이 아름답다

너의 잔가지 중 하나가
곧고 굵게 자라
다시 크는 날을
나는 매일 소원한다

내가 꿈꾸는 할머니

이 책을 만난 건 한국에 돌아오고 일 년쯤 지나서였다. 〈이상하고 자유로운 할머니가 되고 싶어〉. 책의 표지에는 푸른 잎으로 둘러싸인 정원에 할머니가 앉아 있다. 하늘색 블라우스와 짙은 고동색 플레어 스커트를 입은 할머니는 무릎에 책을 올려놓은 채 나를 보고 있다. 동그스름 발그레한 얼굴은, 눈꼬리와 입꼬리가 만날 듯 따뜻한 미소를 띠고 있다.

나는 처음부터 이 할머니에게 끌렸다. 정확히는 할머니의 미소에 끌렸다. 표지의 그림이 책 중간에도 들어있는데 조심스레 잘라내어 책상 앞에 붙여두었을 만큼. 어떤 삶을 살면 저런 미소가 지어질까? 책을 읽는 내내 궁금증을 키워가다가 마지막 장을 읽게 된 날, 이 글을 만났다.

아끼는 마음이 자신을 초과하는 사람.

그래서 타인과 타자에 대해 애정과 연민을 느끼며

마음을 나누는 사람.

그리고 그걸 바라보는 어린아이의 마음속에

또렷한 흔적을 남기는 사람

마음에 쿵 소리가 났다. 내가 되고 싶은 사람… 맘속으로만 웅얼거리던 생각을 글로 읽은 느낌이었다.

할머니의 미소는 '애정과 연민을 느끼며 마음을 나누는' 사람이 가진 미소였다.

링크드인에 올린 나의 자기소개는 "내 삶을 관통하는 키워드는 helping이다" 라고 시작된다. 고민 끝에 쓴 문구였으나, 일년 단위로 나의 삶을 찬찬히 정리해 보고 나서 나온 표현이었다. 대학을 졸업하고, 삼십 년의 세월 동안 교육자, 멘토, 코치로 살아오면서 나의 관심은 늘 누군가를 돕는 일에 있었다. 특별히 부모와 청소년에게 관심이 많았다.

나는 필리핀에서 딸아이를 키웠는데, 그곳의 다른 한국 부모들과 마찬가지로 아이에게 더 좋은 교육환경을 만들어 주기 위해 고군분투했다. 그러나 교민들 사이에서는 늘 근거 없는 소문들이 무성했고, 부모들은 이게 좋다 저게 좋다 하는 일명 카더라 통신에 휘둘렸다. 그리고 그 혼란은 고스란히 아이들에게 전해졌다.

'우리가 서로에게 믿을 수 있는 선후배가 되어준다면 얼마나 좋을까'라는 바램은 점점 간절해졌고, 나는 뜻을 같이하는 부모들을 모아서 한국인 부모 커뮤니티를 만들었다. 우리는 배움 공동체가 되어 더 좋은 부모가 되기 위해 함께 공부했고, 아이들을 키우며 생기는 어려움을 나누고 서로에게 든든한 선후배가 되어줬다.

무엇보다 우리는 아이들이 한국인의 정체성을 가지고 자부심을 느낄 수 있었으면 했다. 그렇게 탄생한 것이 아이들이 주체가 되어 만든 한국 청소년 환경단체와 동화번역클럽이다. 아이들은 로컬 시장에서 피켓을 들고 제로 플라스틱을 외치고 오래된 티셔츠로 만든 가방을 주민들에게 나누어 주었다. 또 한국에서 기부받은 한글 동화책을 영어로 번역해서 필리핀 저소득층 아이들에게 나누어 주었다.

내가 학교에 멘토로 재직하면서 만났던 아이들 그리고 봉사활동에 중고등학생으로 참여했던 아이들은 한국에서 어엿한 직장인이 되었다. 이제 그들은 필리핀에서 공부하는 후배들에게 기꺼이 선배 멘토가 되어준다.

이들이 나를 잊지 않고 찾아오고 인사를 하는 것 보다 내게 더 소중한 것은 "멘토라는 말이 무엇인지도 몰랐던 때에 선생님을 만났고, 지금 멘토라는 단어는 우리가 선생님께 받은 도움을 다시 누군가에게 전해주는 것이다."라는 그들의 생각이다. 이게 내가 그들의 마음에 남긴 흔적이 아닐까 감히 생각해본다.

이 책의 작가는 노년의 삶에 필요한 세 가지를 묻는다. 이동진 평론가는 호기심, 유머, 품위를 꼽았다고 하고, 작가는 좋은 습관을 꼽는다. 나는 글쎄… 작은 것에 표하는 감사, 좋은 생각을 펼침에 주저함이 없는 용기, 애정과 연민을 담은 미소… 이런 것들이 떠오른다. 내 안에 넉넉한 공간을 만들어 누구라도 쉬이 머물기를 바란다. 푸른 잎이 우거진 정원에 앉아, 눈꼬리와 입꼬리가 만날 듯 넉넉한 미소를 띠고 누군가를 바라보는, 그런 할머니를 꿈꾼다.

퍼팩트 데이즈

우리가 도착한 곳은 카비테였다. 필리핀은 그럴 거라고 생각했던 것과 별반 다르지 않았다. TV에서 보던 지프니보다 자전거에 일인용 자리를 만들어 붙인 것 같은 트라이시클이 더 많았다. 빌딩은 거의 볼 수 없었고 제일 큰 건물은 마켓 아니면 쇼핑몰이었다.

남편이 딸과 나를 위해 준비한 것은 달랑 차 한 대였다. 우리는 그 주변에서 제일 좋아 보이는, 리조트 이름이 붙은 시골 호텔에서 한 달을 보냈다. 머릿속에 아무 생각이 없었던 시간들이었다. 자고 일어나면 내려가 커피와 빵을 먹었다. 시골 리조트지만, 맑은 하늘과 화창한 날씨 그리고 예쁜 수영장과 그늘집은 기분을 내기에 충분했다. 몇 안 되는 손님 때문인지 식사를 주문하려고 프론트에 전화를 걸면, 저쪽에서 먼저 "투 그릴드 치킨?"하고 물어왔다, 매일 매일 똑같은 식사를 하면서도 딸과 나는 꿈같이 행복했다.

만날 사람도 만나야 할 사람도 해야 할 일도 없는 그런 한 달이었다. 여행과는 달랐다. 급하게 여기저기 쏘다니고 알고 싶은 욕구도 없었다. 우리는 여기서 살게 될 테니까. 아무도 우리를 도와주지 않아서 오히려 좋았다, 친절한 교민을 만났다면, 수퍼는 여기에, 학교는 여기에 등등 소개를 받았겠지만, 그만큼 일상이 일찍 찾아왔을 테니.

한국을 떠날 때 딸아이는 분리불안이 있었다. 아빠는 필리핀에 먼저 들어와 있었고 나는 늘 바빴다. 고작 일 학년짜리를 미술학원으로 종이접기로 다시 피아노로 넣었다 뺐다 하는 일상이었다. 언제부터인가 아이는 신발주머니를 움켜쥐고 엄마가 안 데리러 오면 어쩌나 하며 불안에 떨기 시작했다. 어쩌다 내가 조금이라도 늦으면 바들바들 떨며 울었다고 한다. 나는 아빠도 여기에 없는데 엄마가 안 데리러 오면 어떻게 하냐며... 아빠 없이 둘이서 이사한 집에서 딸의 불안은 더욱 심해졌다.

나 또한 일에 지쳐가고 있었다. 늘 열심히 했지만, 백그라운드가 좋은 사람들에게 밀렸고, 어떻게든 해보려고 온 힘을 쏟아내고 있었다. 결국 나는 백기를 들었고 그렇게 우리는 남편에게 예정보다 일찍 가게 되었다.

짐이 오기까지 한 달, 아무것도 하지 않아도 되는 시간이 그렇게 주어졌다. 사람들에게서 완전히 해방되고, 일에서 벗어나고, 심지어는 요리와 청소까지 날아간. 완벽한 날씨는 거기에 더해진

축복이었다. 딸은 스물네 시간 내 곁에서 종알거렸고, 우리는 하루 종일 붙어서 뒹굴고 같이 먹고 꼭 안고 잠이 들었다.

아이의 분리불안에 대해 의사가 내린 처방이었다. 그냥 불안해하지 않을 때까지 옆에 있어 주세요. 그의 처방은 어쩌면 과속증에 걸린 나에게 주는 것이었다. "잠시 멈추세요 그리고 쉬세요".

서로에게 온전히 내어준, 멈춤의 시간 속에서 우리는 완벽하게 행복했다.

지독한 사랑

집을 보러 다니는 중이었다. 타운하우스라는 이름 아래 똑같이 생긴 이층집들이 서로 벽을 대고 붙어 있었다. 한쪽으로라도 숨을 쉬려면 코너집을 찾아야겠다 싶었다. 잰걸음으로 마을을 돌며 길이 꺾이는 곳을 찾아 다니다가 그 집을 만났다. 앞에서 볼 때 한쪽 옆이 틔어 있었는데 마침 막다른 길이라 길가 쪽으로 울타리가 쳐져 있었고 울타리 너머에는 넓은 들판이 펼쳐져 있었다.

잘하면 확 트인 전망을 가지겠네 싶어 기대를 안고 현관문을 들어선 순간, 아…나도 모르게 탄성이 터져 나왔다. 들판이 아니라 나무가 있었다. 하늘하늘 연분홍 꽃이 만발한 나무 한 그루가 있었다. 수백 마리 나비가 앉아 있는 듯 꽃잎들이 하나 같이 하늘거렸다.

두 번 생각할 것도 없이 집을 계약했다. 연분홍 꽃잎에 어울리는 커튼을 고르고, 나무가 있는 통창 쪽으로 자연스럽게 색을 입힌 라탄 암체어 두 개를 놓았다. 딱 맞는 각을 가진 장식장도 싫어 아무렇게나 짜인 듯 허술한 바구니들을 흩어 놓았다. 하늘하늘 연분홍 꽃에 맞추어 그렇게 집을 꾸몄다.

아침 저녁으로 꽃에 취해 보고 있자니 꽃이 지면 어쩌나.... 마음 한 켠에 근심이 자리 잡았다. 여기는 더운 나라라 사철 피는 꽃나무가 많지만 그래도 겨울을 나는 나무들이 있었다. 아침마다 고운 색 그대로 풀썩풀썩 떨어져 앉는 꽃잎들을 보며 저러다다 떨어지면 어쩌나 마음이 졸였다. 몇 달이 지나 크리스마스가 왔는데, 아침마다 주워 담은 한 무더기의 꽃잎들이 무색하게 나무는 매일 매일 더 많은 꽃을 피워내며 내 걱정을 지웠다.

떨어진 꽃잎들조차 연한 빛이 사랑스러워 장독 뚜껑을 어렵게 구해와서 물을 담고 그 위에 띄웠다. 매일 매일 나는 나무를 더 사랑했고 나무가 주는 행복한 기운은 우리집을 가득 메웠다. 나무 밑에 그네 모양의 흔들의자를 놓고 딸과 나는 어두워질 때까지 소곤거리며 놀았다.

어느 날 마을의 관리인이 불쑥 나타나 나무에 벌레가 많이 꼬였으니, 밑동에 불을 놓자고 말했을 때 나는 놀라움보다 화가 치밀었다. 약을 좀 치면 될 걸 불을 놓자니.... 약칠 돈을 아끼려고 구차하게 늘어놓는 변명 같아 말 같지도 않은 소리로 치부했다. 이때부터였던 것 같다. 내 눈에도 꽃잎들 사이로 나뭇가지가 드러나 보이기 시작했다. 매일 아침 어디에 얼만큼 꽃이 비었나 속속들이 살펴보고 마당에 나가 떨어진 꽃잎들을 세었다. 직접 살충제를 사서 뿌려보고 영양제도 놓았지만, 나무는 암 환자의 머리가 빠지는 것처럼 속절없이 꽃잎들을 떨구었다.

그제서야 나는 꽃잎이 다 떨어질 수 있다는 것을 받아들였고 나무라도 살려야겠다는 마음을 먹었다. 마을 관리인은 여전히 나무 밑동을 불로 그을리자고 말했다. 태우자는 건지 단지 그을리자는 건지조차 알 수가 없었다. 이들은 아무 걱정하지 말라더니 내가 없는 어느 날 기어코 그 일을 하고 갔다. 외출에서 돌아왔을 때 나무는 밑동에서부터 일 미터 정도가 꺼멓게 그을려 있었다.

드문드문 남아있던 꽃잎들은 더 빨리 떨어졌고 통창을 가득 메웠던 분홍빛은 결국 사라졌다. 꺼멓게 그을린 나무 기둥은 근육이 사라진 노인의 다리처럼 초라했고 꽃잎들에 가리워져 있던 가지들은 앙상함이 그대로 드러나 차마 볼 수가 없었다. 우리집 거실은 색을 잃었고 딸과 나는 그네 의자에 앉기를 꺼려했다. 다시 나타난 관리인은 아예 밑동을 좀 남기고 잘라버려야 한다고 말했다.

그들의 말을 믿어서가 아니라 앙상한 나무를 바라보는 게 못 견디게 힘들어 마지못해 수긍했다. 그리움과 미안함으로 마음이 복잡해진 우리 가족은 나무를 자르는 날 일찍 집을 나서 어두워서야 돌아왔고 거실의 불을 켜지 않은 채 그대로 이층으로 올라갔다. 우리는 차마 나무가 사라진 창을 볼 자신이 없었다.

아침이 되어 거실에 발을 디딘 나는 한참을 외면하다 어렵게 창 쪽으로 고개를 돌렸다. 사라진 나무의 흔적을 보리라 생각했던 나는 멈칫했다. 나무 밑동을 찾는 내 눈에 들판이 들어왔다. 풀이 무성하게 우거진 눈부시게 푸른 들판이 거기 있었다. 언제부터... 저기... 들판이... 아 ...탄성이 나왔다. 잔뜩 졸았던 가슴이 확 터져 버리는 소리였다.

두 해를 살면서 한 번도 눈여겨 보지 않았던 들판이 거기 그렇게 광장처럼 펼쳐져 있었다. 멍하니 선 채로 나는 처음 이 집에 들어섰을 때를 떠올렸다. 확 트인 전망을 갖게 될 거라 기대하며 들어섰던 그 순간을.... 그리고 나의 심장을 얼어붙게 했던 그 분홍빛 하늘거림을.

당황한 마음에 어찌할 바를 몰랐다. 검은 그루터기만 남은 나무와 바람에 일렁이는 들판 사이에서 나는 떠나간 연인과 새로운 사랑 사이에 선 듯 주춤거렸다.

들판의 싱그러움이 우리집을 다시 환하게 채우는 데는 고작 며칠밖에 걸리지 않았다. 우리는 나무를 잊었고 하늘거리는 분홍빛을 지웠다. 딸과 나는 들판을 보고 앉아 흔들거리며 다시 소곤거렸다.

가끔 생각했다.

나무 뒤에 저 너른 들판을 영영 보지 못했겠구나...나무가 그 자리에 계속 있었더라면.

참 지독한 사랑이었다.

망고나무와의 수다

우리집 정원 한가운데 오래된 망고나무가 있었어. 오래된 나무에게는 영혼이 있다는 글을 읽은 후부터, 그 나무에게도 영혼이 있을 거라는 생각이 들더라. 처음 든 생각은 미안함이었어. 그래서 말을 건넸지.

"이사 올 때 가지를 잘라버려서 미안해…내가 잘못했어. 그때는 태풍이라도 오면 네가 지붕을 칠 까봐 두려웠어... 굵은 가지를 자르고 나니 마당이 환하게 밝아져서 좋았는데, 한편 댕강 잘려 나간 단면을 보는 건 오랫동안 불편했어. 어느 날 여리디여린 잎들이 시루에 콩나물 올라오듯 쑥쑥 올라와 드러난 너의 속살을 덮는 걸 보았어. 신기하고 고맙고 또 미안했어. 네가 나를 용서해 주는 것 같았어. 그리고 우리 화해했지."

그때부터였지 아마…내가 정원에 나가면 너와 떠들기 시작한 게.

"어제 들었어? 딸과 전화하다가 화가 나서 막 싸웠는데... 너무 속상해...좋겠다 너는…자식이 없어서."

"어제 비바람 장난 아니었는데... 어쩜 멀쩡하네. 너 뿌리 깊은 가문 출신이구나~"

"그런데 너는 몇 살이야… 그동안 많은 세입자들을 보았겠네. 어떤 사람들이 살다 갔니? 지난번 세입자들은 거실 한가운데 유리천장을 만들어 놓았더라. 안 그래도 더운데 뭔 일이라니. 집 안에서 발가벗고 선탠이라도 했나…"

"우리가 이사 온 지 벌써 다섯 해가 되었네. 이제는 네가 우리를 지켜준다는 생각이 들어. 이상하지. 네가 나를 내려다보고 우리 가족들에게 일어나는 일들을 모두 보고 있다는 느낌이 들어. 그게 좋아."

"그런데 너를 타고 올라가는 저 부겐빌리아 얄밉지 않니? 세상에…어느새 꼭대기까지 타고 올라갔네… 너 꽃나무가 됐어. 좋아? 이러다가 사람들이 너 부겐빌리아 꽃나무인 줄 알겠어. 도대체 어찌 된 일이야? 너 망고나무잖아. 지난 오 년 동안 한 번도 망고가 열린 적이 없어. 너 혹시 씨 없는 수박이야?"

"너의 밑동 옆에 화분 하나 있잖아…. 부겐빌리아가 너를 꽃나무로 만들기 전에 뭔가 허전해서 꽃나무 화분을 옆에 두었지. 아주

비싸게 주고 산 아이인데… 애랑 이야기해도 되지?"

"너는 이름이 뭐야? 들었는데 까먹었어. 화원에 가면 네가 제일 비싼 거 알지? 잎도 가지도 꽃도 우아한 너는 일반 화분도 아니고 도자기에 심어 놓았더라. 그런데 네가 활짝 피면 탄성이 나오고…난 어느새 불안해. 꽃이 떨어지고 나면 어떤 일이 생기는지 지난번에 다 보았거든. 꽃이 떨어지면 통통하던 가지가 마치 탈수 현상 일어나듯 하루하루 비적비적 말라가고…잎마저 다 떨어지고… 초라한 꽃대만 남잖아. 너무 싫었어…마치 날 보는 거 같아서. 몸의 물기 생기 다 빠져나가고 볼품없어져 가는…그래서 모른척했어. 꽤 오래 그러고 있길래 나는 네가 죽은 줄 알았어. 그런데 어느 날 보니 네 꽃대 끝이 발그스름하더라…뭐야…. 너 살아나는 거야? 세상에… 하루하루 영양주사 맞은 듯 탱탱해지더라… 꽃대 끝에 어쩜 기적처럼 예쁜 봉오리를 맺더라. 그리고는 그렇게나 크고 아름다운 진홍색 꽃을 다시 피웠어. 우아하고 고고한 너의 원래 모습으로 돌아온 거야! 눈물이 나네… 부럽다. 넌 다시 피었구나. 그토록 화려한 진분홍 꽃을. 나도 어쩌면… 아니 다시 피고 싶어, 너처럼."

"너희들 우리집에 여기저기 둥지를 틀고 알을 낳는 그 커플 알지? 창가 앞에 둔 행운목에는 벌써 둥지가 두 개야. 아이들 짝 지워 분가시켰나 봐. 그런데 지난번에 정원사가 아무 생각 없이 행운목을 트리밍하고 나서 한동안 그 가족이 안 보였잖아… 얼마나 속상했는지… 새끼들이 처음 나는 연습을 하는 날이면 난리도 아니었잖아. 그 커플은 경계를 서느라 빽빽 울어대고 어쩌다 아기 새가 벽에서 미끄러질라치면 어찌나 난리를 떨고 우는지... 땅에 떨어진 걸 주워서 둥지에 올려준 적도 여러 번이야. 박씨 물어오는 건 바라지도 않았어. 그저 대대손손 가족이 번창하며 살기를 바랬는데...어느 날 몽땅 사라져 버렸잖아. 그런데 깜짝이야. 며칠 전 아침에 그 커플이 돌아왔더라. 시끄럽게 울어대며 자기네 다시 돌아왔다고 신고식 하는 거 같았어. 이번엔 그런데 정원에 나무 높이 깊숙이 둥지를 틀었더라…잎이 너무 무성해서 못 볼 줄 알았겠지만, 다 보여. 망고나무, 너도 이제 할아버지가 되었네. 새들이 찾아오고 부겐빌리아 꽃이 타고 오르고, 진분홍 꽃이 흐드러지고, 마치 거인의 정원에 다시 봄이 온 것 같아."

"정원에서 너희들이랑 떠드는 사이에, 내 마음에도 봄이 왔어. 나 다시 피어날 것 같아."

여전히 디너코스를 기다리는 중

김혜영

김혜영

┃ 영혼이 목마르고 성장이 필요한 분들에게 성경적 자기경영의 리더십으로
　 나다운 성취, 자신만의 최고봉에 오르도록 돕습니다

┃ (주)함께오름 대표
┃ 심리상담 온라인플랫폼 마인드카페 전문코치
┃ 한국코치협회 수퍼바이저코치 KSC
┃ 국제코칭연맹 전문코치 PCC
┃ Gallup 인증 강점코치
┃ Lego Serious Work 퍼실리테이터
┃ 한국코치협회 KAC 인증 기관 심사위원

애몽아

애몽아~애몽아~!

우리집 고양이 애몽이는 잠이 참 많다. 여간해선 불러도 잘 오지 않는다. 도라에몽 만화를 좋아하는 아이들이 처음 몽이 이름을 지을 때 도라와 에몽이로 고민하다 에몽으로 당첨됐는데, 꿈을 사랑하는 아이로 살라고 사랑애(愛), 꿈 몽(夢)자를 붙여줬더니 진짜로 꿈을 많이 꾸나보다.

애몽이를 만난 건 약 3년 전, 큰아이가 몇 년을 기다리고 기다려 우리집 셋째로 호적(?)을 올렸다. 작은 가방에 담겨 우리집에 첫발을 내딘 애몽이는 손바닥만 한 크기에 이름도 없이 낯선 우리 가족을 마주했다.

우리 가족은 애몽이가 귀여워서 신생아처럼 잠을 쿨쿨자는 아이 곁에서 한참 동안 지켜보곤 했다. 그러다 아이가 제법 경계를 풀고 여기저기 탐색하며 돌아다닐 무렵엔 애몽이의 사랑을 확인받고 싶어 온 가족이 거실 바닥에 누워 애몽이가 다가오기를 기다렸다. 애몽이가 가까이 다가와 누군가의 머리카락이라도 핥는 날엔 승은이라도 입은 듯 얼마나 기세등등한지, "거 봐, 애몽이는 나를 가장 좋아한다니까" 하면서 우쭐댔다.

애몽이는 개냥이다. 개처럼 사람을 잘 따르는 고양이를 개냥이라고 한다. 온 가족이 거실에 있는 시간이면 자기도 거실 한켠서 드러눕고 내가 부엌으로 가면 어느새 따라와 물끄러미 나를 바라보고 있는 등 사람 주변에 머물기를 즐겨한다. 그런 모습을 보면 영락없이 개냥이 스럽다.

동물에게 별 관심이 없던 나는 그런 애몽이가 하루하루 지날수록 자식처럼 이뻐지기 시작했다. 특히 남편과 아이들이 모두 집을 비우고 혼자 있을 때나 깊은 밤 홀로 잠 못 들다 깨기라도 하면 어느새 내 곁으로 다가와 내 다리를 슬며시 부비는 녀석이 꽤나 위로가 됐다. '세상, 아무도 나에게 관심 주지 않을 때에도 너는 내가 좋구나....'

성묘가 된 애몽이를 번쩍 안아 어깨 위에 올려두고 거실 창밖으로 세상 구경을 시켜주고 있노라면 '행복이 별거 있나'하는 생각이 들었다. 그렇게 내가 이 녀석에게 점점 더 빠져드는 사이, 애몽이는 이른바 우리집 중3 아들처럼 사춘기를 지나고 있는 것 같았다. 내 품에 안겨 1분도 채 허락하지 않고 달아나는 녀석이 내심 서운했다. '고양이 특성인가 보다'라고 생각하다가도 가끔 유튜브에 뜨는 세상 살가운 고양이들의 재롱을 볼 때면 녀석에게 괜시리 심술이 나서 "으이구, 애몽아...."라며 꿀밤 주듯 이마를 세차게 긁어주곤 했다. 요근래는 이런 일들이 다반사였다. 그런데 문득 '반려동물은 주인 닮는다'라는 말이 떠올랐다. '그래? 우리 애몽이 누굴 닮아 저런가?' 곰곰이 생각해 보려는데 애몽이 모습에서 내가 스쳐 지나갔다.

나는 늘 사람을 위한 일을 해왔다. 대학 전공은 '사람사랑' 사회복지, 지금은 오롯이 상대를 존재로 바라봐주는 코치가 직업인 사람이다. 하는 일로 사람 좋아하기를 따진다면 나도 누군가에게 뒤처지진 않을 게 분명하다. 그래서 어쩌면 다른 사람들은 나를 개냥이인 우리 애몽이처럼 사람을 겁나게 좋아하는 사람으로 오해하고 있을지도 모르겠다.

하지만 실상은 나도 애몽이처럼 누군가의 품속에 오롯이 안기는 걸 불편해하는 일이 더 많다. 강아지처럼 처음 만나는 누구라도 반갑게 꼬리를 치며 달려드는 건 엄두도 못 낸다. 한참을 지켜보다 비로소 경계가 풀리면 슬며시 다가가 천천히 다리를 스치며 '나는 너를 믿어, 나도 너에게 안전해'라는 몸짓을 한다. 누군가의 보살핌이 꼭 필요할 만큼 부족한 것 투성이지만 의외로 혼자 독립적인 걸 좋아한다. 부모조차도 자식을 온전히 지킬 수 없음을 일찌감치 깨달은 터라 되도록 사람을 의지하지 않고 살아가려고 의식적으로 노력한다. 그래서인지 귀찮게 굴지 않고 적당히 거리를 두며 독립적으로 잘 지내는 애몽이가 반려동물로 적격이구나 생각하곤 했다.

이런 나에게도 때론 고양이가 아닌 강아지가 필요할 때가 있다. 마음이 아픈 날, 녀석을 조금 더 끌어안고 따뜻한 온기를 느끼고 싶은 어떤 날에는 우리 애몽이가 성에 차지 않기 때문이다. 어쩌면 나를 아는 누군가도 조금 더 내가 자신의 곁으로 가까이 다가와 온기를 나눠주길 원하고 있지는 않을까?

애몽이, 애몽아~, 애(愛)몽(夢)이 이름에 "나 아(我)"를 붙여 "애몽아!!! 라고 불러보니 비로소 내가 어떤 사람인지, 그리고 앞으로 어떻게 행동하면 좋을지 조금 더 선명해진다.

애몽아, 너는 나를, 나는 너를 참 많이 닮았구나...

꾹꾹이도 안 해주는 너, 안으려면 기똥차게 눈치채고 달아나는 너이지만 늘 내 발치 끝에 자리 잡고 그르렁거리며 꿈꾸는 너를 나는 참 사랑한다. 사랑을 조금 더 달라고 보채는 내 마음은 내가 어찌해 볼 테니 너는 그렇게 오래 내 발치 끝을 함께해다오. 나도 너처럼 꿈을 꾸며 누군가의 발치 끝을 지키고 그렇게 늘 머물러볼게.

행복한 아버지를 위한 기도

'근래 치매로 고생하시는 아버지의 행복은 어디에 있을까?'

어제 아침, 아버지 살아생전에 딸자식에게 용돈을 준다고 생각하라며 고향 땅을 파신다는 소식이 들려왔다. 순간 가슴이 덜컹했다. 며칠 전, 남몰래 한숨을 내쉬었는데 마치 그것을 들킨 것 같았기 때문이다.

지난해 금리 인상으로 늘어난 대출이자에 우리집은 소득은 늘었음에도 불구하고 살림살이가 더 팍팍해졌다. 어둑한 퇴근길 갑자기 그런 생각이 들었다. '어쩜 이렇게 기댈 곳이 없을까...남편도 나도 참 짠하다' 단돈 3천만원으로 신혼생활을 시작해 반지하 원룸 생활까지 거쳤다. 아이 둘을 낳아 키우고 몇 채의 부동산 등기로 자산을 늘려가기까지 우리가 기댈 곳은 서로뿐이었다. 평소엔 이런 우리가 참 기특했는데 그날따라 지친 기분에 나도 몰래 한숨이 크게 나왔던 거다. 이런 생각으로 착잡한 터에 생각지도 못한 용돈 소식에 잊고 지내던 아버지의 존재가 잔잔했던 나의 마음을 마구 휘저었다.

결혼 전 만 해도 아버지의 존재는 내게 남달랐다. 동네선 꽤나 무서운 양반으로 통하는 분인데 막내딸에겐 나름의 자상한 코드가 있었다고나 할까. 무뚝뚝한 성품에 살갑게 말을 건네시는 분은 아니지만 소위 츤데레처럼 무심하게 용돈을 찔러주시거나 간식거리를 던져주시는 분이셨다. 더욱이 학창 시절엔 밤이고 낮이고 나를 오토바이로 등하굣길을 책임져 주셨다.

그러다 일이 있어 늘 하던 막내딸 마중을 못 나갔던 어느 날 밤, 야간 자율학습을 마치고 돌아와야 할 딸이 시간이 지나도 집에 돌아오지 않자 아버지는 수차례 딸아이의 동선을 훑으며 오토바이를 바삐 몰았다. 늦은 밤 딸을 발견했을 때는 상상하고 싶지 않은 불행이 딸아이를 덮친 뒤였다. 막내딸은 영혼이 진흙탕에 곤두박질쳐져 처참한 몰골로 모습을 드러냈다. "아버지.."하며 간신히 아버지 품에 안기려 할 때 아버지는 남달리 크고 우직한 손으로 세차게 딸아이의 뺨을 내리쳤다. "등신 같은 년.." 정말 등신이었는지 딸은 범죄 현장에서 살아서 돌아온 것이 다행인지 불행인지 도무지 분간할 수가 없었다. 공든 탑이 한순간 무너진 꼴을 보는 아버지에게 그 시간들은 어떻게 기억될까? 딸에게 그 시산은 지옥이고 지옥은 곧 딸이 살아 숨 쉬는 세계였는데...

그 후로 아버지는 어떤 일보다 딸의 하굣길 마중을 우선에 두셨다. 캄캄한 밤 어둠 속에서 누군가 자신을 지켜보고 있을 것 같은 불안감에 아버지 등에 얼굴을 푹 파묻고 모든 게 꿈이길 바라는 정말이지 꿈같은 꿈을 꾸는 딸을 싣고 아버지는 남몰래 뜨거운 눈물을 흘렸으리라.

다행히 딸은 뺨을 맞고도 아버지의 사랑이 얼마나 뜨겁고 깊은지 잘 알았다. 아버지의 따스한 등이 언제나 딸에게 그렇게 말해주었다. '시집 하나 잘 갔으면...'하는 마음으로 일자무식 산골 농부가 해마다 소를 팔아가며 콧대 높은 대학으로 상경 유학을 뒷바라지 해주신 것도 그 사랑이 없었으면 절대 불가능한 일이었다. 사회생활을 하는 중에도 딸이 유독 힘든 날이면 아버진 어떻게 아시고 딸에게 전화 걸어왔다. 그러면 딸은 영혼의 이어짐으로 아버지 목소리 하나에 위로를 얻고 힘을 얻었다. 그 딸이 하나님을 감히 "아버지"라 부르며 그 한 없는 사랑을 절대 의심하지 않음도 바로 그 사랑을 보여주시는 육신의 아버지가 계시기 때문이었다.

그런 아버지가 이제 치매로 딸이 누군지도 가물가물하던 참인데 마치 그 깊은 한숨을 들었다는 듯 한평생 일군 땅을 팔아 용돈을 주신다는 거다. 그것이 누구의 뜻이든 결과가 그러했다. 막내딸은 남몰래 내쉰 그 한숨마저도 너무나 죄송스러웠다.

아버지는 아홉 살 어린 나이에 아버지를 여의고 작은 어깨에 지게를 짊어지고 땔감을 팔아 생계를 도우셨다고 한다. 그렇게 평생 근검절약하며 당신을 위해선 돈 한 푼 마음 편히 써보신 적도 없으신데 이젠 치매로 은행에 돈이 얼마나 있는지도 다 잊으셨다. 밑동만 남겨진 동화 속 '아낌없이 주는 나무' 마냥 자식들에게 자신의 모든 것을 넘기며 찬찬히 생을 정리하는 아버지 생각에 하염없이 눈물이 났다. 안타깝고 마음이 저려서 한참 동안 어린애처럼 소리 내 울었다. 이젠 방문 밖에서 내가 살기를 포기할까 봐 노심초사 전전긍긍하는 부모님 눈치를 볼 필요도 없으니 내 울음소리가 내가 사는 공간 어딘가로 새어 나가는 것쯤은 문제 될 게 없었다.

저녁에 퇴근한 남편에게 우리에게 곧 돈이 생긴다는 나름의 굿 뉴스와 그런데 그것이 내겐 너무나 가슴이 아프다는 이야기를 번갈아 전하며 또 울었다. 남편이 나를 다독이며 부드럽지만, 힘 있는 말로 나를 정신 나게 혼내주었다. "아버님은 그동안 힘은 드셨겠지만 그래도 그 삶에 보람이 있고 행복하셨겠지, 사랑하는 딸이 아버님 당신 삶을 불쌍하게 생각한다는 걸 알면 얼마나 마음이 안 좋으시겠니?"

정신이 번쩍 났다. 그렇다. 우린 누군가의 인생을 행복과 불행으로 결코 단정지을 수 없다. 내 인생의 가장 어두운 단면 한구석을 들춰내 누군가 '너는 꽤나 불행한 삶을 살았구나'라고 이야기한다면 나는 많이 슬퍼질 것 같다. 불행하다고 느꼈던 때가 있었음을 부인할 수는 없지만 그것이 전부는 아니다. 치욕의 상처도 지금의 나를 만드는 필연적 우연이었음을 나는 이제 받아들이기 때문이다. 그 일로 인해 내 삶이 얼마나 더 아름다워지고 시시때때로 내가 느끼는 감사가 얼마나 더 찬란한지 그 누군가는 도통 상상할 수 없을 것이다.

소위 세상 모든 사람들이 인정해 주는 멋들어진 삶은 아닐지라도 나는 충분히 행복하다. 이런 내 마음을 모른 채 내 아이들이 다른 사람들의 삶과 비교하며 내 삶을 안쓰럽고 가엾다 여긴다면 나는 또 얼마나 슬플까... 그리고 보니 아버지는 힘든 일을 하는 중에도 늘 유머가 있는 분이셨다. 지금도 상태가 좋으실 때는 누구에게라도 농담을 거실 만큼 재밌는 분이시다. 우리 동네 가장 장수한 남자 중 하나이시고 아직도 사위들에게 팔씨름을 겨루자 할 정도로 기운도 좋으시다. 아버지는 충분히 행복한 분이시다. 그리고 그 아버지의 딸인 나는 충만한 행복을 무시로 느끼며 살고 있다. 그러니 나 또한 행복한 사람이다.

행복이란 무엇일까? 겉으로 보기에 아무 걱정 없어 보이는 사람도 그 속을 들여다보면 남모를 아픔과 상처가 엿보인다. 세상 불행 혼자 다 맞은 것처럼 몰골이 형편없는 이의 얼굴에서도 종종 미소가 피어오른다.

아버지의 행복은 어디에 있을까?

부디 치매로 과거의 어딘가에 있을 아버지가 이왕이면 가장 행복했던 아버지의 시절 속에 머물러 계시기를 기도한다. 그토록 가슴 저리게 사랑할 수밖에 없었던 막내딸이 죽지 않고 살아서 보란 듯이 잘 살아가는 모습 어디쯤에 계시면 좋을까... 아니면 나의 존재는 잊어도 좋으니 그저 아버지가 가장 행복했던 그 어느 때에서 아무런 걱정 없이 행복하시길... '아버지가 나를 잊어도 내가 아버지의 따스했던 등을 기억하니 우리에겐 아무 일 없을 거라고.. 그래서 우린 지금도 행복한 거라고' 말해 드리고싶다.

섭섭이

섭섭이,
나는 네가 싫다
싫은 네가 시도 때도 없이 내 삶에 끼어드는 게 못마땅하다
그러니 제발 저만치 멀찍이 가라 했다

내 말을 듣는지 마는지
너는 가는 듯 마는 듯 보였는데
네 발자취 왜 그리 이 가슴에 오래 머무는가

어느새 다시 돌아와 내 마음을 노크하는
섭섭이,
조심스레 문 앞에 선 너, 나는 내치는 법을 모르겠다
문을 열어 볼까?

섭섭이,
너는 여전히 내게 버거운 상대지만
나는 오늘 너를 안기로 용기를 낸다

이리 너를 안으면
영원히 내 곁에 머무른다 떼 부릴 줄 알았건만

잠시 고개 들어 하늘 보는 사이
너는 소리 없이 저만치 나를 떠나 발자취까지 거두어 가는구나

잘가라 섭섭이..

너도 나였음을 나는 너를 안고서야 비로소 알아챈다

벚꽃이 흩날리던 날

아침마다 전쟁이었다. 맞벌이 워킹맘으로 살며 나는 나의 의지와 상관없이 넘겨지는 달력들과 일체되어 하루하루를 바삐 보냈다. 그러다 둘째 아이를 낳고 퇴사를 하니 나만 시간이 더디 가는 듯했다. 부스스한 머리와 파자마 차림으로 거실 밖 풍경을 내다보면 나랑은 참 다른 낯선 풍경이 보였다. 아니 어쩌면 밖의 일상보다 안의 일상이 더 낯설게 느껴졌었는지도 모른다.

아이를 유모차에 태우고 바람을 조금 쏘일 겸 아파트 단지를 거닐었다. 갑자기 벚꽃잎들이 흩날렸다. 아스팔트 차도로 떨어지는 벚꽃잎들을 보는데 주르륵 눈물이 흘렀다. 세상과 단절되어 버린 나를 보는 듯했다.

'난 이제 떨어지는 꽃잎이 되었구나...'

'김혜영...언제 다시 내 이름이 세상에 불려질까...그런 일이 또다시 내게 올까...'

벚꽃 만개하고 따스한 봄날이 찾아왔는데 내 마음은 낙엽 우수수 떨어지는 가을날만큼이나 스산했던 날...나는 내 마음에 뭐라 이름 붙이기 어려웠던 그날 밤 아이를 안고 집 앞에 있는 교회에 갔다. 목사님이 설교를 하셨다. 이스라엘 민족을 구원하기 위해 하나님께서 모세를 부르신 때, 모세 나이 무려 80살... 당신은 지금 몇 살이냐고 묻는다.

낮에 떨어지는 꽃잎에 눈물 흘리던 걸 마치 보고 계셨다는 듯 하나님은 내게 말을 걸고 계셨다. '너는 떨어지는 꽃잎이 아니야' '너는 모세보다 젊단다..'

하나님께 내 마음 알아달라고 투정 부리러 간 자리에서 하나님은 내가 말을 꺼내기도 전에

큰 비전으로 내 입을 막으셨다. 불평 대신 꿈을 꾸며 찬송을 하라셨다.

그날 밤 집으로 되돌아오는 길, 나는 더 이상 아스팔트 위에 떨어진 벚꽃잎도 아니었고 아무도 모르게 홀로 눈물 흘리는 외로움도 없었다. 내 마음을 나보다 더 잘 알고 계신 분이 계셨고 그분은 내게 벚꽃은 내년에 또다시 흐드러지게 핀다는 걸 알게 하셨

다. 나는 기대했다. 그리고 나지막이 읊조렸다. '하나님, 모세보단 조금 이른 나이에 불러주시면 안 될까요?'

그로부터 시간이 한참 흘렀다. 유모차에 있던 아기가 어느새 초등학교 5학년이 되어 엄마 손길 없이도 많은 일을 척척 잘 해낸다.

다행으로 나는 모세보단 아주 이른 나이에 부름을 받았다. 나의 이름 석 자는 다시금 누군가에게 부지런히 불리우고 있다.

이제 곧 벚꽃이 피는 계절이 온다. 해마다 흐드러지게 피고 지는 벚꽃을 보며 그날의 나를 생각하곤 한다.

그럴 때마다 내 벚꽃나무는 꽃잎 하나하나 감사의 꽃을 피운다.

고약한데 그리운 그 녀석

콩닥콩닥 가슴이 뛰는 날은
소풍 가기 전날 밤

아침에 깨워달라 신신당부
해도해도 못미더워
밤 보초 서듯 잠 못 드는 밤
그 밤은 소풍 가기 전날 밤

소풍이 사라진 나는
더불어 가슴도 밍숭맹숭
콩닥거림을 잊은지 얼마나 오래일까
온라인에 떠도는 비행기 백색소음으로
억지 설레임을 소환하는 나는
설레임이란 단어를 빤히 쳐다보며
요지부동 애꿎은 가슴만 탓한다.

무엇에 내 마음을 주면 설레이려나
사랑하던 내 님도, 하고 싶었던 일도
이제는 설레임이란 단어가 낯간지럽다.

설레임, 엄청 이쁜 단어인 줄 알았더니
거 참 고약한 녀석일세.
설레임 이 석자를 써 놓고
벌써 몇 시간째 씨름 중

간다는 말도 없이 사라져 버린 녀석
나는 왜 그리 그리운 마음인지
소풍 같은 녀석이 그립다.

내 마음에 무지개가 떴다

회색빛 과거의 시간들이 옅어진다.
옅어진 시간들 사이로 나는 무지개 빛깔을 드러낸다.

빨강. 중요한 것을 기억하고 싶을 때 골라잡는 빨간 볼펜. 기억할 수 있다는 확신보다 잊을 수 있다는 불안이 더 큰 빨강. 나에게 빨강은 열정이다. 늘 내가 사랑하는 것들에 열정을 다하고 싶다. 그런데 어떻게 하는 것이 열정을 다하는 것인지 늘 막연하다. 이런 강렬한 색채가 내겐 왜 그리 흐릿한지. 흐릿할수록 끝끝내 붙잡는 건 다시 빨간 볼펜. 나는 늘 이 빨강을 기억하려 애쓴다.

주황, 나에게 주황은 에르메스다. 코칭펌을 창업하며 회사 로고를 만들 때 에르메스 주황 컬러를 부탁했다. 명품 중의 명품. 세상 속물의 끝판왕을 지향하는 건지 나조차도 긴가민가지만 나라는 브랜드가 결국 명품으로 그 고귀한 가치를 인정받게 될 날을 그린다.

어릴 적 길을 가다 노랑나비를 발견하는 날엔 행운을 발견한 듯 기분이 좋았다. 인생을 살면서 딱히 행운의 순간을 많이 만나지 못했노라고, 좀처럼 내겐 행운이 없는 듯 그리 고달프게 삶을 바라본 적이 많았다. 그러나 지나고 나서 삶을 되돌아보면 온통 행운이다. 좋은 사람들을 참 많이 만났고 포기하지 않고 노력하면서 내가 원하는 많은 것들을 이루면서 살고 있다. 나비가 몸을 사뿐거리며 이 꽃 저 꽃을 부지런히 희롱하듯 나 또한 그리 살고 싶다. 노랑나비처럼 내 삶의 아름다운 곳들을 사뿐 사뿐히 자유롭게 날아다니고 싶다.

초록, 싱그러운 나뭇잎. 순수한 내 영혼의 쉼처럼 산들산들 바람결에 나부낀다. 너는 무엇을 하고 있냐고 묻는다면 나는 이제 막 대지를 초록으로 물들이고 있노라고 답하고 싶다. 겨우내 잠들었던 단단한 대지를 비집고 초록 잎 새싹을 틔웠다고. 대지 위로 나오기만 하라는 음성에 귀를 기울여, 있는 힘껏 고개를 내밀었더니 어둠 속에서 상상하지 못했던 빛줄기가 날 기다리고 있었노라고. 나는 노래하듯 바람에 리듬을 맞춰 대지를 초록으로 물들인다.

파랑, 푸르른 바다를 향해 나는 간다. 나는 작은 물방울에 지나지 않지만 내 삶은 물방울들이 모여 물결을 이루고 자꾸만 자꾸만 낮은 곳으로 자연스러움을 택하며 흘러간다. 낮은 곳으로 흐른다하여 두려워하지 않으리. 나는 바다를 향해 가고 있으니, 그곳이 내 머물 자리임을 아는 나는 작은 물방울로 하루하루를 적신다.

보라, 내 속의 나를 탐험하면 미지의 보랏빛 세계와 마주한다. 반백이 가까워져도 아직까지 나도 모르는 내가 존재한다는 것에 당혹스러워하다가 왠지 모르게 기분이 좋아진다. 용기를 내어 조금 더 나를 낯선 곳으로 보내 놓고 싶다. 그곳에선 아직 발견하지 못한 나란 존재를 새롭게 만나리.

함께오름을 만나다

탱탱볼을 바닥에 힘껏 던졌다. 퓽~하고 높이 올라 퉁퉁거리며 바닥을 굴렀다. 세게 던질수록 더 높이 올라오는 게 탄성이 강한 만큼 반응하였다. 나는 이것을 '회복탄력성'에 비유하였다. 삶의 역경은 더 높은 곳을 향한 필연이라고. 정말 그럴까?

8주간의 회복탄력 그룹코칭을 진행하는 동안 나는 새벽기도를 나갔다. 예배를 마치고 홀로 기도하는 시간이면 신기하게 그룹코칭에 대한 영감들이 떠올랐다. 이미 준비해 놓은 키워드들을 뒤집고 새로운 키워드로 한 주 한 주 실험하듯 프로그램을 진행해 갔다. 그러던 어느 날, 갑자기 이 탱탱볼의 비유에 의문이 생겼다. 차마 마주하기 힘든 절망 속의 여고생이 생각났기 때문이다. "하나님, 그 아이는 무슨 부귀영화를 바란다고 그리도 세차게 바닥에 내치셨습니까? 그 아이가 높은 곳을 갈망하던가요? 말씀을 좀 해주세요. 그 진흙탕 속에서 꿈꾸는 높은 곳이 무슨 대수라고 그런 시련을 주셨는지요?" 나는 대차게 큰 소리로 따져 물었다. 하나님은 그런 내게 아무런 대답도 해주지 않으셨다. 집에 돌아와 식탁 의자에 앉아 있는데 〈사무엘하 22장34절〉 말씀을 찾아보고 싶은 생각이 들었다. 〈나의 발로 암사슴 발 같게 하시며 나를 나의 높은 곳에 세우시며〉 이 말씀 구절을 읽는데 설명하기 어려운 감동과 함께 깨달음이 밀려왔다.

그 새벽 내가 대차게 따졌던 여고생의 역경은 부귀와 영화를 위한 것이 아니었다. 그러니 원하지 않는다하여 필요치 않은 게 아닌 것이다. 이 땅에 태어나 존재하는 의미, 가장 나다운 최고의 모습으로 신이 정한 나의 높은 곳. 그곳에 서기를 바라는 하나님의 마음, 그분의 계획이심을 나는 오롯이 느꼈다.

그렇다면 나의 높은 곳은 대체 무엇일까. 어디일까… 그곳에 세우시는 이는 하나님이시라면 나는 나로서 무엇을 해야 하는걸까? 란 질문이 따라왔다. 나는 어찌된 일인지 나의 높은 곳이 아닌 남이 높게 오른 모양새를 보고 열등감을 느끼고 있었다. 내 높은 곳은 어딘지도 모른 채 남들 따라가느라 진을 빼고 있었음을 발견했다. 주변을 보니 비단 나만의 문제는 아닌 듯했다. 누군가는 자신의 높은 곳이 있는 줄도 모른 채 역경 속에서 바닥을 헤집으며 힘들어했다. 말해 주고 싶었다. '이 바닥이 당신의 삶의 전부가 아니라고. 당신을 위해 예비된 높은 곳이 있노라고'. 또 다른 누군가는 자신의 높은 곳으로부터 아주 멀리 경로를 이탈하여 방황하고 있었다. 나는 또 말해 주고 싶었다. '여기서 이러고 있지 말고 당신의 높은 곳에 올라가 보라고. 그곳에 올라가면 지금 볼 수 없는 것을 꼭 보게 될 거라고'.

이런 생각들을 하며 누군가를 만나다 보니 어느 날 다시 깨달아졌다. 나의 높은 곳은 바로 이 일을 하는 것임을. 세우시는 이는 하나님이시지만 저마다의 우리는 자신만의 높은 곳을 향해 올라가는 일을 시작해야 한다는 것을. 나의 높은 곳은 이 깨달음을 전하고 그들과 함께 올라가는 것. 그들이 자신만의 높은 곳에 서는 모습을 지켜봐 주는 것. 이 모든 깨달음이 정렬되는 날 나는 비로소 나의 회사 이름을 짓고 명함을 주문했다.

"성장코칭전문기업 함께오름".

함께오름 안에는 인생의 저 밑바닥에서 고뇌하던 여고생의 성장 스토리가 담겨있다. 내 상처들에 침잠하지 않고 다른 이들의 상처를 돌보다 보니 내 상처 또한 아물게 된 치유 스토리도 있다. 함께오름엔 우리가 왜 올라가야 하는지 그 이유가 숨겨져 있다. 예수님은 신(GOD)임에도 불구하고 하늘의 영광을 마다하고 이 낮고 낮은 땅에 내려오셨다. BC(before Christ)와 AD(Anno Domini)를 가르는 인류역사상 가장 위대한 영향력. 그 낙차에너지를 나는 오름의 정상에서 내가 발 딛는 세상으로 흘려보낼 수 있기를 바라게 된다. 이것은 곧 나의 성장기이고 하나님의 비전이자 나의 꿈인 것이다.

병아리가 알고 깨고 나오듯 나는 내 지난 고통을 새롭게 해석하며 나의 길을 나섰다. 그 여정에서 만날 누군가를 진심으로 응원하며 함께 올라갈 수 있기를 간절히 바래 본다.

산 정상에 가는 길이 오르막과 내리막을 오르내리며 올라가듯 나는 올라간다하여 우쭐대지 않고 내려간다하여 낙심하지 않으며 그렇게 한 발 한 발 뚜벅뚜벅 걸어갈 것이다.

그러다 보면 상처 입은 어린 나를 따스하게 꼬옥 껴안아 줄 수 있는 어른이 되어 가겠지.

여전히 디너코스를 기다리는 중

　나는 오랜 시간 나의 책을 펴내고 싶었다. 아마도 어디서부터 어떻게 시작해야 좋을지 몰랐던 어린 시절, 그 막막함에 연필을 놓아버렸던 기억이 나를 끈질기게 붙잡고 언젠가는 꼭 써야 하지 않겠냐고 재촉했던 듯하다.

　중학교 3학년이 끝나가던 때, 그해 겨울은 눈에 물이 가득했다. 첫눈이 내린 다음 날 나는 교복치마로 스며드는 칼바람을 피하려고 두터운 타이즈를 투박한 운동화와 함께 신었다. 그때는 그게 왜 부끄러웠는지 모르겠으나 암튼 그런 날은 아무도 안 마주치고 싶었다. 바램은 종종 심술을 펴지. 하필 하굣길 100m정도 거리의 교회 담장 밑에서 나를 기다렸다는 듯 쳐다보고 있는 1살 터울의 교회오빠, 내 마음속 연인을 보았다. 반가운 마음도 잠시고 내 몰골을 들킬까봐 나는 그가 따라오지 못하도록 총총걸음을 걸었다. 그러다 어쩐지 미안한 마음에 잠깐 뒤돌아서 손을 흔들어 주었다. 답례의 손길이 눈에 선한데 나는 그게 마지막이었다. 그는 다음날 교통사고로 하늘로 떠났고 나는 그런 오빠를 기억해 보려 연필을 들고 글을 쓰려 했다. 한 줄을 나아갈 수가 없었다. 내 마음을 담아낼 언어가 존재하지 않는 건지, 언어를 내 손으론 받아낼 수 없는 건지 한 줄도 못 쓰고 노트만 적셔냈다. 그렇게 내 글은 세상에 못 나온 채 내 가슴속 깊은 곳에 꾹꾹 눌러 더한 인생사와 함께 얼룩지게 덧쓰이기만 했다.

그 뒤로 30여 년도 더 지난 나는 코치로 살고 있다. 글은 여전히 못 쓰고 입보다 귀를 여는 시간들이 이어진다. 내 이야기는 들어주는 이 없이 가슴 속에 켭켭이 쌓여만 가는데 아직까지 나는 내 마음을 담아낼 언어를 찾지 못했다. 그만큼 나의 책은 예나 지금이나 여전히 좁혀지지 않는 그와 나와의 거리처럼 있다.

그러다 우연하게 코칭 중에 만난 고객이 글쓰기 코칭으로 책을 출판한다고 했다. 의기소침한 고객을 응원한다는 게 엉겁결에 나도 참여해 보고 싶다는 말을 내뱉었다. 그리고 얼마 지나지 않아 글쓰기 수업 모집공고를 본 것이다. 고객에게 내뱉은 말이 빈말이 되지 않기를 바래 나는 고민 없이 수강 신청서를 냈다.

그저 글쓰기가 아니라 오랜 시간 나의 이야기를 담은 책을 한 권 쓰는 게 나의 꿈이었는데 그토록 기다리던 나의 첫 책이 글쓰기 수업 참가생들과 함께 내는 공저책이다. 분명 책을 출판하는 건 내 꿈이었는데 지금 나는 왜 내 꿈을 빼앗긴 것 같은 허무함과 당혹감을 느끼는 걸까… 근사한 파인다이닝 디너코스요리를 기대하던 사람이 얼떨결에 배가 고파 라면을 끓여먹다 기다리던 코스요리가 생각난 격이다.

　　인생 참 얄궂다. 크게 한 걸음 내딛어도 언제나 가고 싶은 만큼의 거리가 아닌 작은 징검다리 디딤돌 하나 밟는다. 지난 시간들은 이 무수한 디딤돌 위에 펼쳐진다. 내 저자의 꿈마저도 작은 디딤돌에 기대어 또 다른 걸음을 떼어야 한다는 사실이 어쩐지 나는 서글프다. 내 인생에 목적지를 향한 직행편은 없는건지…

　　엉겁결에 올라탄 버스가 목적지로 향한다고 한다. 그런데 한 번에 가는 것이 아닌 경유다. 이미 올라타서 내리지도 못하는데 어떻게 해야할까. 나는 이 선택을 바라본다. 16살 첫 눈이 내린 그때의 나에게라면 나는 '네 모습 그대로 어여쁘니 그를 기다려 함께 걸으라' 말해 주고 싶다. '내일이면 이 세상에 먼지처럼 사라질 그와 다정한 이야기를 나누라'고 말해 주고 싶다. 그깟 타이즈 아무것도 아니라고…

　　훗날 지금의 선택을 두고 내가 나에게 말해주는 날이 올까? 꿈을 향한 경유를 두려워하지 말라고. 비록 직행은 아니지만 너는 목적지를 향해 길을 떠난거라고. 너는 목적지에 한 발 더 가까워졌고 그 경유로에서 너는 생각지 못했던 좋은 풍광을 만날 수도 있다고. 그렇게 내게 말해 주는 날이 올까?

정해진 기한 내로 글을 써야 다른 코치님들에게 민폐가 되지 않는다는 생각에 꾸역꾸역 글을 써가며 나는 몸살을 앓는다. 오래된 이야기들을 어렵게 끄집어내며 이걸 혼자 했다면 나는 포기했을 것이라고 생각한다. 생각지 못했던 좋은 풍광. 그건 어쩌면 저마다 몸살을 앓으며 그래도 한 자 한 자 써 내려가고 있는 공저 코치님들이 아닐까 싶다.

내가 무엇을 꿈꾸고 얼마나 갈망하는지는 그것이 좌절되었을 때 비로소 눈치챌 때가 많다. 나는 글을 쓰면서 한 가지 알게 되었다. 어쩌면 내가 꿈꿔왔던 건 글이 아닌 말이었을지도 모른다고. 가슴 속 이야기들을 하고 싶었는데 들어주는 이가 없어 연필을 잡았던 거였는지도 모르겠다. 그래서 나와 내 꿈의 거리가 그리도 가까우면서도 멀었는가 싶다.

어쩌다 보니 여전히 말은 못 하고 대신 듣는 일을 하게 되었지만 나는 이제 노트를 적시지 않고 한 줄을 담담히 써 내려갈 용기를 갖게 되었다. 이야기를 들으면서 누군가의 가슴을 시원하게 해 주는 일이 뜻하지 않게 내 가슴마저도 시원하게 해 줄 때가 많다. 그 시간들 덕분에 썼다 지웠다를 반복하면서도 결국엔 한 줄

한 줄 나아간다.

　나는 이제 책을 쓰는 것 너머에 내 이야기를 할 수 있는 사람이 될 수 있기를 꿈꾼다.

　마음의 몸살을 앓으며 지금 내가 보내고 있는 이 시간은 라면이 아닌 디너의 에피타이저가 될 것이라고 믿는다.

　입맛을 돋우듯 얼른 다음 요리가 먹고 싶은 인생,

　그런 근사한 디너가 있는 삶을 꿈꾼다.

H를 향한 콜링

카톡! H. 그녀가 오랜만에 자신의 생을 알려왔다.

"며칠 전부터 아파트 주차장 산수유나무에 꽃이 피었더라. 이 아파트로 이사 오고 벌써 8년째, 매년 이 노란 꽃을 보면 비로소 나의 봄은 시작이 되는 듯^^ 그 옆에는 목련나무가 있는데, 털복숭이 꽃봉오리가 빵빵한 것이 곧 꽃이 피겠더라. 목련이 질 때마다 "올해도 어김없이 피고 지느라 수고했다" 그 녀석의 일생이 대견하고 안쓰러워 말을 걸었었는데, 지금 생각해 보니 완전 코미디였어 ㅋㅋ 목련이 보기에 내가 얼마나 가소로웠을까, 자기는 피고 지고 또 피고 지는데 난 한번 지면 끝인 삶을 살면서 무슨 잘난 척은^^"

짧은 넋두리 속의 H는 여전히 엉뚱하고 유쾌했다. 그런데 나는 그 유쾌함 너머로 그녀가 그 생을 얼마나 애쓰고 있는지가 느껴져 한동안 잠잠히 숨을 골랐다. 중년이라면 누구에게나 찬란하고 아름다운 청춘, 그것이 아프니까 청춘일지언정 아련하게 그리운 청춘의 때가 있다. H는 내 청춘의 한 장면을 유쾌하게 수 놓는 사람 중 한 명이다. 그래서 가끔은 그 이유로 가슴이 저릿할 때가 있다.

난 H가 참 좋았다. 국회의원실이라는 낯선 성벽에서 우린 처음 만났다. 창과 방패도 없이 맨몸으로 성을 지키는 일개 일꾼 같은 일상에 H는 내 손에 막대기를 들려주고 칼싸움 상대가 되어 준 그런 동료였다. 도회적인 외모에 뿔테 안경을 손으로 올리며 꼼꼼하게 따져 묻는 그녀의 또박또박한 말투. 어리숙한 충청도 말투로 경계 없는 나랑은 딴판 같았다. 뭐든 잘난 맛에 사는 것 같은 그녀는 막상 하루 이틀 지내다 보니 의외로 빈 구멍이 숭숭 뚫린 극적인 인간미가 있었다. 우린 서로의 허당끼를 알아본 덕에 금세 친해졌다.

H는 용감한 여자였다. 국회의원실에 용기 있게 들어오기도 했지만 나갈 땐 더 용기 있었다. 잘 다니던 국회를 그만두고 남편과 함께 훌쩍 유학을 떠났다. 외국이란 낯선 세상으로의 여정때문만으로 용기있다 말하는 건 아니다. 나중에 안 사실이지만 그녀는 아픈 남편의 보호자격으로 미지의 세상으로 나간거였다. 어설픈 칼싸움

을 가르치며 막대기를 쥐어준 건 나로 족했는데 그녀는 남편의 손에 장대를 들려주려 먼 길을 떠났던 것이다. 안타깝게도 그렇게 떠난 유학길은 깊은 상처를 남기고 끝이 났다.

극적인 인간미를 지닌 H는 한마디로 헛똑똑이다. 자기 자신이 얼마나 멋진 사람인지를 모르니 헛똑똑이요 자기 자신보다 다른 사람을 더 사랑했으니 헛똑똑이다. 수년의 세월이 지났는데도 여태도 꽃놀이 한번 가볍게 못 떠나고 무기력의 적과 싸움을 해대니 헛똑똑이다.

그런데 그거 알까? H가 가진 헛똑똑이의 삶이 그녀가 가진 엄청난 무기라는 걸. 생각해 보면 사회복지를 전공한 H와 내가 꿈꾸던 세상은 약자에게도 자원이 풍성한 그런 세상이었다. 비록 우리의 청춘은 눈에 보이는 자원을 더 얻기 위해 영향력을 좇았던 시간들이었으나 아이러니하게 시간은 우리에게 눈에 보이지 않는 자원을 남긴 채 저 멀리 사라졌다. 이제 반백의 나이를 지나며 새롭게 마주하는 자원들이 있다. 그건 바로 결핍의 자원이다, 헛똑똑이로 만들어 낸 깊은 상처의 시간들은 단연코 H에게 자원이다. 그녀는 알알이 가슴에 맺힌 그 결핍과 상처의 구슬들을 멋지게 엮어 고귀하게 빛나는 작품으로 꿰어낼 것이 분명하다. 나는 그녀가 만들어 내는 작품을 필요로하는 누군가가 존재한다고 믿는다. 부디 H가 그녀의 뿔테안경을 치켜 올리며 또박또박 세상을 향해 따져 물어주는 내일이 어서 오기를 기대한다.

내 찬란한 청춘의 한 컷에 너무나 아름답게 서 있는 H.

H가 경험한 세상에서 그녀는 또 내게 어떤 막내기를 쥐어줄까. 아니 이제 나는 그녀에게 우리 짬밥이면 막대기 집어 던지고 근사한 창과 방패를 들자고 이야기한다.

비바람 거센 인생의 성벽을 이제껏 잘 지켜 왔으니 창과 방패도 우리 차례가 왔노라고 이야기하고 싶다.

그렇게 세상을 향해 그녀와 함께 성문을 나서고 싶다.

내게 있는 향유 옥합

성경을 보면 예수님이 십자가에 달리기 며칠 전 한 여인의 이야기가 나온다. 이 여인은 당시 노동자의 1년 품삯에 비견하는 값진 향유를 가져다가 예수님의 머리 위에 기름 붓고 머리털로 예수님의 발을 씻겼다. 그것을 본 예수님의 제자들은 값비싼걸 낭비했다며 수군거리고 손가락질을 했다. 옥토가 기름지고 물이 풍성한 우리 문화로는 도저히 이해할 수 없는 이야기인데 이 이야기가 특별한 것은 예수님께서 그의 제자들에게 이 사건을 꼭 널리 전하라고 명하셨기 때문이다.

사실 예수님이 이렇게 강조하신 에피소드치곤 교회서 많이 다루는 설교 말씀은 아닌 것 같다. 어쩌다 지나가는 이야기 가운데 서브 스토리로 전해 들었을 뿐 이 이야기가 메인 스토리로 깊이 있게 다룬 설교는 많이 듣지 못했다. 추측컨대 내가 이 말씀을 보며 느꼈던 막연한 불안감, 이 불안감을 나 이외에도 많은 사람들이 느끼고 있어서가 아닐까 싶다.

'뭐? 값비싼 향유를 드렸다고? 내가 가진 가장 값비싼 걸 드리란 소리인가?' 마치 내게 있는 소중한 것을 빼앗기기라도 할 듯 무의식적으로 이런 말씀이 부담스러운 게 아닌가 싶다. 어디까지나 내 뇌피셜이다. 그만큼 지극히 개인적인 내 속물적 근성에 의한 추측일 뿐 목사님들이 이 일화를 그리 깊게, 빈번히 다루지 않는 이유는 정확히 모른다.

나는 이 말씀을 볼 때면 두려운 마음도 있지만 한 편으로 나에게 값비싼 향유는 뭘까? 하는 생각을 종종 했다. 그리고 그럴 때마다 진짜 내가 값비싼 향유를 가지고는 있는지조차 의심스러워져 원론적 고민이 깊어졌다. '정말 내가 남들에게 내어놓기 어려울 만큼 꽁꽁 싸매두고 감춰 놓은 보물은 뭐지?'

그러다 아이러니하게 내 가슴 속 가장 깊은 곳에 아무도 모르게 꽁꽁 숨겨 놓은 게 하나 보였다. 바로 상처다. 나는 마음만 먹으면 누군가에게 돈도 줄 수 있고 사랑도 줄 수 있었다. 그런데 지독하리만큼 남이 알아차리지 못했으면 하는 거. 다른 사람들이 절대로 손댈 수 없는 거, 그건 다름 아닌 내 흉측한 과거의 상처였다. 나는 뭐가 좋다고 수십년을 남들 몰래 이 상처에 눈물로 물을 주며 키워왔을까.

'예수님, 제 가슴 속 가장 은밀한 곳에 상처란 것이 있는데 혹시 이것도 옥합이 될까요? 그렇다면 이 옥합, 사람들이 수군거리고 손가락질해도 이제는 꺼내 가지고 나가서 예수님 발 앞에 내어놓고 깨기 원합니다. 제 옥합을 받아 주세요.'

내 상처가 어쩌면 옥합일 수 있겠다는 생각은 이렇다. 나는 이 상처 덕분에 살아계신 하나님을 만날 수 있었다. 마음이 방망이질 치고 힘들 때마다 하나님을 찾았고 그럴 때면 내게 평안을 주셨다. 이 상처 덕분에 나는 내 삶을 더 책임감 있게 가꿔갔다. 내 삶의 주인공은 나이기에 지나가는 단역배우가 내 삶의 드라마를 망쳐놓는 걸 지켜볼 순 없었다. 나는 내 상처 덕분에 누군가를 돕고 싶다는 생각을 처음 하게 되었다. 그리고 누군가의 이야기를 꼭 들어주고 싶었다. 나처럼 가슴이 터질 듯한 사연을 품은 채 방황하는 누군가에게 한 줄기 힘이 될 수 있었다면 그건 바로 내 상처 덕분이다. 나는 나의 이 상처 덕분에 현재를 누구보다 감사하게 되었다. 나를 조건 없이 사랑해 주는 남편이 너무 고맙고 어쩌면 죽었을지도 모르는데 죽지 않고 살아 그 나이 또래의 아이를 키우고 있다는 사실이 새삼 너무 기적처럼 느껴지는 것이다. 내가 보내고 있는 이 아름다운 시간들이 모두 내게 선물과 같은 시간으로 여겨지니 내 상처는 나에게 옥합이 맞다.

글을 쓰며 많이 생각했다. 내 글을 읽고 가족들이 놀라지는 않을까. 친구들이 그동안 이런 비밀을 숨기고 산 것에 대해 괘씸해하지는 않을까. 누군가가 이 일로 나를 편견을 가지고 바라보지는 않을까. 잘 모르면서 오해와 억측이 생겨나진 않을까. 나는 이 일로 생각지 못한 또 다른 상처를 입는 건 아닐까.

그럼에도 불구하고 글을 써내려 가는 건 아무리 생각해도 내 옥합인 이것을 주님께 바칠 때가 된 것 같다는 생각이 들기 때문이다. 과거 한 여인의 옥합은 결국 예수님의 장례를 준비한 기름부음이 되었다. 나의 옥합도 지금은 내가 알 수 없는 무언가로 사용되겠지. 그것이 무엇이든 그건 드린 자의 몫이 아닌 받은 자의 몫이리라.

하나님의 섭리 가운데 이 모든 일들이 자연스럽게 흘러가고 있음을 믿으며

고난 주간, 이렇게 예수님의 발을 씻겨 본다.

언제 설렘을 느끼시나요?

설렘으로 피워보고 싶은 나의 삶의 모습은 무엇인가요?

오늘도 성장 중

박선미

박선미

▎ 교사
▎ 명상가
▎ 전문코치

▎ (사) 한국코치협회 인증코치 (KPC)
▎ (사) 한국전통명상협회 힐링명상지도사 1급
▎ (사) 한국전통명상협회 기공명상지도사 1급
▎ 한국교원대학교 초등교육학 석사
▎ 국제뇌교육종합대학원대학교 뇌교육학 박사과정 수료
▎ (현) 대전서부초등학교 교사

나에게 내가

너의 탄생은 참으로 귀찮은 일이었어!
마흔 하나에 너를 낳은 엄마에게 너를 키울 일은
까마득하고 귀찮은 일이었지
"그냥 젖만 먹여~~"라는 너의 아버지의 말이 위로가 되었을까...
너는 정말 젖만 먹고도 순하디 순하게 잘 커왔지
그때 너는 몰랐을 거야. 순해야만 네가 살아남을 수 있었다는 걸
너도 모르는 너의 무의식은 너를 순하고, 착하고,
말 잘 듣는 아이로 자라게 해주었어
덕분에 너는 눈치 빠르고, 공부 잘하고,
무슨 일이든 알아서 잘 해내는 어른으로 자라왔지
네가 잘해서 다른 사람에게 인정받는 건 어쩌면
너에겐 생존과도 같은 일이었어
인정받기 위해 너는 늘 웃었고, 친절했고, 열심이었지
그리고 보면 넌 참 순진했어
그렇게 사는 게 잘사는 거라고 믿었으니까

인정받기 위해 애써왔던 것들이 어느새 너에게
자존심, 완벽주의, 당위적 사고로 점철된 갑옷이 되었다는 것을
몰랐으니까

결혼을 하고, 아이를 낳아 기르면서 너는 가족에게도
그 갑옷과 무기를 휘둘렀어
타인에겐 한없이 친절하면서도 정작 너를 가장 사랑하는
가족에게는
독단적이고 당위적인 완벽성을 요구했으니까

그 무렵 명상 수련을 시작하게 된 건 참으로
다행스러운 일이 아닐 수 없어
너는 수련을 하면서 너의 갑옷을 알아차리게 되었고
하나, 둘 벗으려는 용기를 가질 수 있게 되었으니까..

지금 너는 알고 있어
아직도 여전히 그 갑옷이 남아 있다는 걸
하지만 조금 달라진 것이 있다면
더 이상 다른 사람에게는 그 갑옷을 휘두르지 않는다는 거야
어쩌면 네가 따뜻하고 좋은 선생님, 꽤 괜찮은 엄마와 아내로
하루 하루를 살아갈 수 있는 것은
아마도 그것 때문인지도 몰라
이제 남은 일은 너 스스로 그 갑옷에서
자유로워지는 것이겠지..
그것을 위해 오늘도 고요한 알아차림에 머무르려
애쓰는 너를 응원한다!!

2024. 1. 11.
너를 사랑하는 내가

나를 행복으로 이끄는 곳

뒷산을 오른다

찬 바람이 얼굴을 스친다

발그래진 얼굴이 웃는다

나도 웃는다

며칠 전 내린 눈이

아직 남아 나를 기다린다

눈을 밟는다

사각 사각 사각

소리를 밟는다

사각 사각 사각

눈이 있는 곳만 골라 걷는다

사각 사각 사각

나를 맞이하고

나를 받아주고

나를 품어주는

대자연이 감사하다.

대자연과 함께하는 나는

세상에서 가장

행복한 사람이다!

항아리 같은 사랑

신혼 시절 나의 사랑은 유리병 같았다. 너무나 투명해서 속이 다 보였지만 마냥 행복했다.

그 유리병에 꽃을 담기도 했고, 상큼한 레모네이드를 담기도 했고, 소망을 담을 종이학을 담기도 했다.

유리병은 무엇을 담아도 싱그럽고 생기가 넘쳤다.

난 내가 담고 싶은 것은 무엇이든 담았다. 그 유리병은 내 것이고 내가 마음대로 할 수 있는 유리병이라고 생각했다. 남편과 함께 가꾼 유리병이라는 것을 잊고 살았다. 그리고 남편이 유리병을 좋아할지, 좋아하지 않을지는 생각조차 하지 않았다.

그래서였을까? 어느 순간 유리병에 금이 가기 시작했다. 절대로 깨지지 않을 거라 믿어 의심치 않았던 그 유리병이 말이다.

금이 간 유리병은 위태로웠고, 차가웠고, 더 이상 투명하지도 않았다. 그제서야 깨달았다. 그 유리병은 나 혼자 만든 너무나도 순진하고 얇은 유리병이라는 것을. 그리고 금이 간 유리병은 더 이상 쓸 수 없다는 것을...

나는 우리 가족의 사랑을 항아리로 다시 만들기 시작했다.

차곡차곡 흙을 다지고, 빚고, 뜨거운 불에 굽고, 마지막엔 행복이라는 무늬의 유약까지 발랐다.

항아리가 만들어지기까지 5년의 시간이 흘렀다.

다시 만든 항아리는 투박하지만 안정적이고, 든든하고 따뜻했다.

나는 그 항아리에 쿰쿰한 메주를 담기도 하고, 흙 묻은 무를 담기도 하고, 곡식을 담기도 했다.

우리 가족은 안정감이 주는 행복을 다시 느꼈고, 그 행복은 눈물겹도록 감사했다.

얼마 전 그 행복을 뒤흔드는 일이 발생했다.

늦은 귀가로 나와 언쟁을 했던 딸의 전화를 남편에게 넘겼는데 딸과 통화하던 남편이 버럭 화를 내면서 전화를 끊은 것이다.

그 후 남편의 냉전은 일주일 동안 지속되었고 그 차가운 눈빛은 예전의 금이 간 유리병을 떠올리게 했다. 딸에게 화가 났다고 생각했던 나는 아무렇지 않은 듯 밥을 차렸고, 남편에게 말을 걸기도 하면서 마음이 풀릴 때까지 기다려주었다.

냉전 끝에 알게 된 황당한 사실은 남편이 화를 낸 상대가 바로 나였다는 것이다!

이게 무슨 상황인가! 남편은 나의 어떤 행동에 화가 났던 것인가? 내가 안다고 생각했던 남편은 과연 어떤 사람인가? 이런 남편과 계속 살 수 있을까? 우리가 다시 만든 그 항아리는 안전할 수 있을까?...

무수히 많은 생각들이 오갔다. 나는 다시 항아리에 금이 갈 것 같은 두려움을 느꼈다.

하지만 지금의 나는 예전의 천진난만하고 유약한 내가 아니다.

확실한 것은 남편도 나도 이 항아리를 다시 깨고 싶지 않다는 것이다!

그러면 되는 것이다.

나에게는 받는 사랑보다 지키는 사랑이 더 소중하다!

오늘도 난 항아리의 뚜껑을 열어 환기를 시키고, 볕을 쐬어주고, 행주로 닦아준다.

앞으로도 난 된장, 고추장, 간장을 담글 것이다.

우리 부모님이 나에게 물려주었듯이 내 딸에게도 이 항아리의 사랑을 물려줄 것이다.

그 여름, 우리들의 물결

2023년 여름.

서이초 교사의 죽음을 애도하고 교권 회복을 외치는 광화문 집회를 다녀오면서
교권 상실의 마음을 시로 표현해 봅니다.

푹푹 찌는 여름의 한 가운데
이글거리는 아스팔트 위로 검은 점들이 모여든다.
한 점, 두 점 모인 점들이
어느새 검은 물결이 된다.

가르칠 수 있게 하라!
광화문을 가득 채운 함성이 서글프다.

우리가 교권이 없지, 돈이 없냐!
슬픈 현실에 허탈한 웃음이 난다.

10년만 버티자고 스스로를 위로했지만
허수아비 같이 가르치는 시늉만 하는
10년은 싫다!

내가 교권이 없지, 희망이 없냐!
나는 희망의 물결을 만들거다.
상실의 검은 점에게 초록색 옷을 입힐거다.
희망의 푸른 물결이
가득해질 때까지

목련꽃

목련꽃이 필 무렵이 되면 나는 왠지 모르게 마음이 설렌다. 올해도 교정 앞 모퉁이에 서 있는 작은 목련 나무에 목련꽃 봉오리가 피어날 준비를 하고 있다. 꽃봉오리를 한참 보다 보면 어느새 나는 사춘기 중학교 시절로 가 있다.

시골인 우리 마을에는 중학교가 없어 버스를 타고 10여분 남짓 걸리는 면 소재지로 중학교를 다녔다. 막 중학생이 된 열네 살의 나는 중3인 오빠를 따라 새벽차를 타고 학교를 다니기 시작했다. 아랫마을에 사는 그 아이도 중3인 누나를 따라 새벽차를 타는 것이 아닌가? 초등학생이었던 몇 달 전만해도 같은 반 친구로 장난치고 까불던 우리가 중학생이 되고 남녀로 반이 갈리면서 왠지 모르게 낯을 가리게 된 것은 무슨 이유였을까?

아무튼 텅 빈 버스에 탈 때도, 버스에 내려 학교로 걸어갈 때도 멀찍이 떨어져 가며 서로를 내외하고 있었다. 사실 난 초등학교 때부터 그 아이를 좋아하고 있었다. 훤칠한 키에 또렷한 이목구비, 무엇보다 운동을 잘하는 그 아이는 여자아이들 사이에서 인기가 좀 있었다. 그래서인지 아침마다 그 아이가 버스를 타는지가 매일매일의 관심사였다. 버스에서도, 학교 가는 길에서도 그 아이를 보면 난 가슴이 콩닥콩닥 떨렸다. 새벽차를 타고 며칠 다니다 보니 그 차를 타는 친구들이 하나, 둘 늘어났고 아침 일찍 학교에 간 우리들은 딱히 할 일 없이 돌아다니기 일쑤였다.

그러던 어느 날 친구 하나가 남자 반 복도로 목련꽃을 보러 가자고 했다. 아닌게 아니라 우리 학교에는 아름드리 목련 나무가 줄지어 서 있었고, 키가 얼마나 큰지 2층 창문까지 가지를 뻗고 있었다. 친구의 성화에 못 이기는 척 목련꽃을 구경하러 남자 반 복도로 갔다. 남자 반 교실을 힐끔 보니 그 아이는 자리에 앉아 있었다. 우리는 들으라는 듯 복도 창가에 있는 목련꽃을 만져보려고 손을 뻗으면서 소란을 피웠다. 복도가 소란해지자 그 아이도 복도로 나와 서성댔다.

"너, 저 목련꽃 딸 수 있어? 넌 키가 크잖아"
목련꽃을 핑계로 그 아이에게 먼저 말을 걸었다.
"어?... 목련꽃?"
그 아이가 쑥스러운 듯 말끝을 흐린다.
"야! 목련꽃 좀 따봐~~"
나는 아무렇지도 않은 듯 채근했다.

키가 큰 그 아이는 선뜻 목련꽃 한 송이를 따서 쑥스러운 듯 내게 건넸다.

하얗고 말간 목련꽃을 받는 내 얼굴이 발갛게 달아올랐다. 나는 속내를 들키기 싫어 애써 태연한 척 담임은 누구냐, 무섭냐, 너희 반에 짱은 누구냐 등으로 말을 돌렸다. 그 아이도 이러쿵 저러쿵 답을 하고 우리반에 이쁜 친구 있으면 소개시켜 달라고 너스레를 떨었다. 그러겠노라고 쿨하게 대답을 하면서도 난 그 아이와 말을 나눈 그 자체로 기쁨에 겨웠다.

얼마 지나지 않아 그 아이는 1학년 여학생들 사이에 인기가 높아졌고, 내가 소개시켜주지 않았는데도 우리 반에서 제일 예쁜 친구와 사귄다는 소문이 돌았다. 우리가 사귄 것도 아닌데 나는 배신감에 다시는 새벽차를 타지 않았다. 흐드러지게 핀 하얀 목련꽃도 어느새 바닥으로 떨어져 낙엽보다 흉한 갈색의 흉물이 되고 말았다. 목련꽃의 최후가 마치 내 첫사랑의 최후 같다는 생각에 씁쓸했다.

그 아이와의 인연은 여기서 끝나지 않았다. 우리는 고등학생이 되면서 정식으로 사귀게 되었고, 대학생이 되어서는 내가 마음을 돌렸다. 그 아이는 나와 결혼까지 꿈꿨지만 나는 동성동본을 핑계로 헤어짐을 선택했다. 많은 추억을 간직한 그 아이는 결국 서른이 못 된 나이에 교통사고로 세상을 떠나고 말았다.

그 후 나는 꿈에서 그 아이를 많이 만났다. 사립 문 밖에 서서 나를 바라보던 그 아이, 반가움에 어서 들어오라고 손짓해도 그 아이는 그 자리에 서 있다 꿈에서 깨기를 반복했다. 누군가 그 아이의 영가를 돌려보내야 한다길래 간단한 제사를 지내기로 했다. 그 아이의 사진이 필요하다고 하는데 그제서야 우리가 함께 찍은 사진이 없다는 걸 알았다. 유일하게 있던 사진은 군대에서 보내주었던 군복 입은 사진이 다였다. 나는 제사를 지내면서 그 아이를 영원히 보냈다. 신기하게도 그 후로는 꿈에 나타나지 않았다.

그래도 해마다 봄이 되고 목련꽃이 피면 나는 어린 시절 그 하얗고 말간 목련꽃과 그 아이에 대한 풋풋한 사랑에 마음이 설렌다. 그러다가 그 아이와의 안타까운 인연에 가슴을 쓸어내린다.

이제는 평안하게 잠들었을 그 아이의 명복을 빈다.

빛나는 나

'맑으면 밝아지고, 밝아지면 빛난다'

이 언어로 명상한 지 어느덧 10년에 접어들었다.
오늘도 어김없이 평좌를 하고 자리에 앉는다. 조용함 속에서 숨을 고르고, 마음을 고른다. 긴장된 몸이 하나, 둘, 풀려나가는 것을 바라본다. 내 몸을 둘러싼 에너지가 바람결처럼 공간 속으로 풀려나간다.
난 이미 바람결이 되어있다. 초록 잎을 머금은 봄날의 따스한 바람결.
내가 내쉬는 숨이 나의 숨인지, 봄날 어느 숲에서 온 바람결인지 알 수가 없다.

얼마 전에 쓴 이 글을 다시 본다. 사춘기 시절 어느 날 밤 감성에 흠뻑 젖어 썼던 글을 다음 날 아침에 보았을 때의 오글거림이 고스란히 느껴진다.

느낌과 감상에 흠뻑 젖은 명상은 내가 원하는 명상이 아니다.

내가 원하는 명상은 알아차림으로 명징해지는 것이다. 명상한 지 10년이 되었는데도 여전히 느낌에 취해있는 내 모습에 현타가 온다.

오늘 나는 명상한답시고 그럴싸하게 치장한 나를 정면으로 마주해본다.

처음 명상을 하면서 그동안 내가 입었던 갑옷들을 하나 둘 벗을 수 있었다. 그 홀가분함에 취해 어느덧 새로운 옷을 휘감고 있었다는 것을 이제야 알겠다. 그 새로운 옷은 예전의 두툼한 갑옷이 아닌 하늘하늘하고 입은 듯 안 입은 듯해서 나조차도 알아차리지 못했다.

오늘 난 명상이라는 말로 고급지게 휘감은 그 옷을 벗어야겠다.

'명상하는 나'가 아닌, 그냥 '나'로도 나는 온전하다.

왜 아직도 나의 온전함을 의심하는가?

왜 아직도 의미를 찾으려 하는가?

나는 무엇이 되지 않아도 괜찮은데...

빛나지 않아도 괜찮은데...

그냥 이대로도 충분한데...

좀 더 나아지고 싶은 마음이 드는 건,

그래! 내가 아직 열정이 남아있다는 증거라고 인정해주자.

더 좋은 사람이 되고 싶었구나!

괜찮은 사람이라고 인정받고 싶었구나!

그래, 그랬구나! 그럴 수 있지~

괜찮다, 그래도 괜찮다.

오늘 난, 오롯이

있는 그대로의 나를 다시 안아주었다.

있는 그대로 난 빛나고 있다.

나의 성장은 ing 중

요즘 나의 마음을 사로잡은 것이 하나 있다. 그건 바로 '코칭'이다.

2년 전 코칭 연수를 받으면서 난 직감했다. 나에게 올 것이 왔구나! 내가 열정을 불사를 대상이 드디어 나타난 것이다. 15년 전 명상 수련을 만났을 때 느꼈던 그 가슴 떨림과 블랙홀처럼 빨려들어갈 듯한 몰입감이 다시금 살아나기 시작했다.

얼마만에 느껴보는 설레임인가? 얼마만에 채워보는 충만감인가! 코칭 자격을 위한 교육을 받으면서 난 다시 설레임과 충만감에 살아있는 느낌을 받았다.

그럼 그동안은 죽어있었단 말인가? 가만히 생각해보니 내가 살아있다는 느낌을 받는 순간들은 내가 성장하고 있다는 느낌을 받을 때인 것 같다. 명상이 그러했지만 최근 몇 년간은 성장이 멈춘 느낌이었다. 뭘 해도 식상하고, 재미없고, 때론 지겹기까지 했던 것이다.

코칭은 나의 일상을 새로운 빛깔로 장식하기 시작했다. 하루 일과에 1시간 이상 코칭 연습을 추가했고, 독서도 코칭 관련 책으로, 코칭 모임도 하나, 둘 생겨났다. 마치 오래 된 자전거에 기름칠을 하고 열정의 패달을 밟는 느낌이었다.

그 열정의 질주를 더욱 신나게 했던 것은 버디코칭이었다. 카카오톡 투표하기로 내가 코칭 가능한 시간을 올리면 단톡방에 있는 누군가가 투표를 하고 그 시간에 전화로 만나 코칭 연습을 하는 것이다. 전혀 모르는 누군가와 전화로 코칭 대화를 나누는 것은 사람을 좋아하는 나에게는 무척이나 흥분되는 일이었다. 물론 코칭 대화를 연습하는 것이 쉽지는 않지만 경청, 공감, 인정을 연습하는 만큼 대화는 무척 긍정적이고 나에게 좋은 에너지를 주었다. 한 번의 버디 코칭으로 끝나는 사람도 있지만 몇 개월에 걸쳐 꾸준히 전화로 만나는 코치님들도 생겨났다. 꾸준히 코칭을 주고 받으면서 서로의 고민을 들어주고, 공감해주고, 응원하면서 친밀한 관계를 쌓아가기도 한다.

코칭을 하면서 "당신이 추구하는 가치는 무엇인가요?"라는 질문을 자주 받는다. 이슈마다 조금씩 다르겠지만 대부분의 경우 나는 내가 추구하는 가치로 "성장"을 꼽는다. 인격의 성숙을 위해, 어제보다 더 나은 나의 모습을 위해 나는 끊임없이 성장하려고 노력한다. 성장은 어쩌면 나를 일으켜 세우고 움직이게 하는 동력인지도 모르겠다.

그런 의미에서 코칭은 나를 많이 성장시키고 있다. 제대로 된 듣기가 무엇인지 알게 되었고, 사람을 있는 그대로 호기심 가득한 눈으로 보아야 함을 알게 되었고, 나의 판단이나 조언을 내려 놓으려는 노력을 하게 되었다. 물론 노력한다고 해도 쉽게 달라지지는 않는다. 난 여전히 경청이 어렵고, 사람에 대한 호기심보다는 그가 가지고 온 문제가 먼저 보이고 내가 해결하려고 머리를 쓰기도 한다. 어떨 때는 나도 모르게 판단하고 조언하고 싶은 욕구가 목구멍까지 올라오기도 한다. 코칭이 끝난 후에 기분이 좋을 때도 있지만 "아, 내가 왜 그런 말을 했을까?"하고 이불 킥을 하고 싶은 적도 한두 번이 아니다.

코치다움을 연마하기란 쇠를 녹이는 일만큼 나를 녹이고 비워야 하는 건 아닐까? 하는 생각이 들면서 내가 뭐 하자고 이렇게 코칭에 일희일비하고 있나? 하는 의구심이 들 때도 있다. 특히 얼마 전 KPC 자격 실기시험에 떨어지고 나서는 더욱 그러했다.

어쩌면 지금까지의 나는 코칭에 대한 핑크빛 환상을 가지고 있었는지도 모른다. '난 코칭하는 것만으로도 괜찮은 사람이고, 누구보다도 코칭을 잘 하고 있어. 앞으로도 나는 전문 코치로서 제2

의 삶을 멋지게 살아 갈거야!'라는 환상 말이다. 시험에서 떨어지면서 핑크빛 환상이 잿빛으로 변하면서 코칭에 자신감도 줄어들고, 재미와 의욕도 사라져 버렸다. 하지만 나에게 코칭이 그렇게 쉽게 사그라들 불장난이었던 것인가? 그건 아니다! 시험 하나로 코칭에 대한 의미가 사라진다면 그건 코칭에 대한 나의 지나친 자의식 과잉때문일 것이다.

여전히 코치다움과 코칭다움의 역량은 내가 끊임없이 갈고 닦고 싶은 역량이다. 이건 코칭을 위해서라기 보다는 나의 인생 전반에 거쳐 나를 성숙시키는 일이기도 하다. 어쩌면 시험에서 떨어진 것이 코칭에 대한 지나친 환상의 거품을 걷어내고 오롯이 코칭 자체만으로 의미를 재발견할 수 있게 하는 좋은 계기가 된 것 같다.

난 요즘 좋은 코칭에 대해 보다 진지한 고민을 하고 있고, 내가 뱉은 말들을 다시 들으며 나의 무의식적 말투나 언어 습관, 생각의 습관들을 발견해 나가고 있다. 성취나 칭찬에 의한 성장의 느낌도 좋지만, 실패나 자기 검열을 통한 성찰도 나를 크게 성장시킨다. 이 글을 쓰고 있는 지금도 난 성장하고 있다. 내 의식을 내가 통제할 수 있는 그날까지 난 끊임없는 성장을 이루게 될 것이다.

지금도 나에게 성장은 'ing'이다.

놀이 같은 삶

어릴 적 나는 선생님이 되는 것이 꿈이었다. 아이들과 소꿉놀이를 할 때도 난 선생님 놀이를 즐겼고, 학창시절 시험 기간에도 친구가 모르는 문제를 알려주는 것을 마다하지 않았다. 꿈이 분명했기에 열심히 공부했고 결국 그 꿈을 이루어 지금은 교사로 살아가고 있다.

인생의 절반인 50이 된 지금 나는 무슨 꿈을 꾸고 있을까? 꿈을 꾼다기보다는 퇴직 후 제2의 삶에 대한 대비라는 생각이 먼저 든다. 그리고 보니 어릴 적부터 나는 목표지향적인 삶을 산 것 같다. 목표를 분명히 하고 그것을 위해 열심히 달려가는 경주마 말이다. 그나마도 명상을 하면서 좁은 시야의 경주마에서는 좀 벗어난 것 같다.

하지만 여전히 뭔가를 열심히 해야 마음이 편하다. 일정표에 운동, 코칭, 모임 등이 빼곡이 차면 내가 웬지 열심히 사는 것 같고 그렇게 사는 것이 잘사는 것처럼 느껴지기도 하다. 지금 보니 이건 숙제같은 삶이다. 매일 매일의 숙제가 있고 그것을 꼬박꼬박 해내는 숙제같은 삶!

그동안 교사가 아닌 다른 꿈을 가져본 적이 한 번도 없었다. 그러하기에 교사가 되어서도 아이들 숙제 검사 하듯 내 생활도 숙제하듯 산 것은 아닌가 싶다. 그리고 퇴직 이후의 삶을 생각할 때도 쉬는 것보다는 뭔가 일을 하면서 살아야겠다고 명상과 코칭을 미리 준비하고 있는지도 모른다.

아~~ 이런 삶이 진짜 내가 원하는 삶인가? 난 더 이상 숙제 같은 삶을 살고 싶지 않다.

그럼 나는 어떤 삶을 살고 싶은 것일까? 나다운 것은 무엇일까? 나다운 꿈은 무엇일까?

생각해 보니 난 그저 소소한 일상을 꿈꾼다. 어린 시절 나의 할머니가 살았던 그 소박하고 소소한 삶 말이다. 우리 할머니는 이른 아침 일어나 밭을 매고, 단출한 식사를 즐기고 오후에는 이웃집에 마실을 가거나 우리 집에 초대를 해서 가볍게 술 한 잔을 하며 기분 좋게 노래를 흥얼거리셨다. 그런 할머니 옆에 있으면 나도 모르게 기분이 좋아지고 편안해졌다.

할머니의 일상처럼 나도 단순하고, 소소하고, 여유로운 삶을 꿈꾼다. 느즈막히 일어나 아침 햇살을 즐기고 단출한 식사를 한 후 산책하듯 작은 명상실로 향한다. 이곳에서는 명상과 요가를 가르치고, 개인 코칭도 병행한다. 몸과 마음의 평안을 원하는 사람이 나를 찾아온다. 나는 그들이 맑고 건강한 몸, 편안한 마음, 명료한 의식 상태가 되도록 명상을 가르친다. 그리고 그들이 가지고 있는 고민들을 그들 스스로 해결할 수 있도록 코칭을 해준다. 나의 명상실에서 그들은 건강과 마음의 위안, 희망을 얻어간다. 나는 그들의 회복을 바라보며 흐뭇한 미소를 짓는다. 이른 저녁 명상실에서 나오면서 간단한 먹거리를 준비해 집에서 요리를 한다. 저녁 시간에는 읽고 싶은 책을 읽고, 잠자기 전 명상을 하며 하루를 마무리한다.

나의 일상은 아주 단순하고 반복적이지만 숙제처럼 하기보다는 매일 매일을 놀이처럼 하고 있다. 마치 똑같은 놀이를 반복해도 질리지 않고 재미있게 노는 아이들 놀이처럼.... 명상도 코칭도 그날 그날 에너지의 흐름에 맡기듯 진행하기에 온전히 그 순간에만 몰입하는 놀이가 될 것이다. 그리고 아이들이 "내일 또 놀자~~" 하듯이 내일은 또 어떤 사람의 어떤 사연을 만나게 될까? 어떤 마음의 짐을 걷어 줄까?를 생각하며 기대감으로 하루를 마무리한다.

놀이를 하는 나는 매일 매일이 새롭고 흥미진진하다. 그리고 놀이 친구가 바뀔 때마다 그 친구는 어떤 사람일까 무척 궁금하고 호기심이 간다. 그리고 그 호기심을 더 키울 수 있도록 1년에 한두 번은 멀리 여행을 간다. 아프리카, 뉴질랜드와 같이 대자연을 느낄 수 있는 곳으로 말이다. 온전히 자연과 함께하면서 대자연의 경이로움에 어린아이와 같은 설렘을 가득 안고 돌아 온다.

　삶을 마무리 할 때 나는 내 인생에 더 이상 여한이 없는 마음이 된다.

　「무탄트 메시지」의 호주 원주민처럼, 「조화로운 삶」의 스코트 니어링처럼 가족과 기분 좋게 작별인사를 나누고 폐식 호흡으로 나의 생을 마무리하고 싶다.

콩이와 시어머니

콩이는 내가 키우는 강아지 이름이다. 동그란 눈에 작은 몸집의 미니 치와와다. 콩처럼 작아서 콩이라는 이름을 지어주었다. 콩이와 산책을 하러 밖으로 나갈 때면 엘리베이터에서부터 주위 사람들의 관심을 한 몸에 받는다. 쫑긋한 귀에 까만 구슬이 박힌듯한 눈, 동그란 머리에 오똑한 코를 한 콩이를 보고는 귀여워서 안달이 난다. 다들 콩이를 작고 귀여운 아기라고 생각할테지만 사실 콩이는 벌써 13세인 노견이다.

난 가끔 콩이를 보면서 '지금 콩이는 어떤 생각을 하고 있을까?' 궁금해진다. 만약에 콩이의 말을 내가 알아들을 수 있다면 어떨까 하는 상상을 하기도 한다. 하지만 이내 상상의 나래를 접는다. 콩이의 마음을 알게 되는 것이 두렵기 때문이다.

난 사실 콩이에게 좋은 주인은 못 된다. 아침 일찍 나가서 저녁에 들어오는 우리 가족의 생활 패턴을 본다면 콩이를 기르면 안 되는 거였다. 하루 종일 주인을 기다리는 콩이는 얼마나 외롭고 쓸쓸할까? 그리고 저녁에 온다 해도 몇 차례 쓰다듬기만 하고 이내 내 할 일에 바빠 콩이와 제대로 놀아주지도 못한다. 가끔 콩이의 실망하는 표정을 볼 때면 나의 시어머니가 떠오른다. 뭔가 나에게 바라는 것이 있지만 결코 내색을 하지 않는 우리 시어머니 말이다.

콩이가 나를 쳐다보는 눈빛은 시어머니를 닮아있다. 난 그 눈빛에서 부채감을 느낀다. 뭔가를 기대하지만 이내 포기하는 눈빛이라고나 할까? 뭔가를 해주어야 하는 걸 아는데 마음은 늘 우선 순위에서 밀린다. 오늘은 바빠서, 오늘은 피곤해서, 오늘은 기분이 안 좋아서....그래서 콩이가 하는 말을 내가 듣지 못하는 것이 다행이라고 생각한다. 이건 시어머니도 마찬가지다. 난 가끔 시어머니의 건강에 대해 여쭤보지만 내심 대답을 듣는 것이 부담스럽고 두렵다. 내가 뭔가를 해야 하는데 하고 싶지 않은 마음이 스멀스멀 올라오기 때문이다.

그럼에도 불구하고 콩이는 늘 나에게 위로가 된다. 하루 일과에 지쳐 쓰러지면 늘 옆에 와서 나를 핥아주고 따스한 온기를 나눠준다. 마치 시어머니의 헌신적인 자식 사랑처럼 말이다. 콩이와 시어머니는 늘 옆에서 나에게 관심을 보이고 있지만 이내 내가 하고 싶은 대로 하게 내버려둔다. 기대는 하지만 요구는 하지 않는 콩이와 시어머니는 아낌없이 주는 나무인 것 같다. 온전히 아이에게 맞춰주면서도 바라지 않는 나무 말이다.

　무심한 나를 있는 그대로 받아주는 콩이와 시어머니는 참 고마운 존재다. 내일은 콩이에게 산책 한번, 시어머니에게 전화 한 통화 드려야겠다.

엄마의 일기

새벽녘에 잠에서 깼다. 동이 트려는지 창문 밖이 어슴프레 밝아오는 것 같다. '어서 일어나 밥을 앉혀야지' 하고 몸을 일으키려는데 몸이 움직이질 않는다. 여기가 어디인가? 난 분명 집에 있었는데 여기는 우리 집과 사뭇 다르다.

오줌이 마려워서 화장실을 가려는데 일어날 수가 없다. 몸을 움직이려니 엉치가 아파서 도저히 움직일 수 가 없다. 내 몸이 내 맘 같지 않다. 간밤에 무슨 일이 일어난 것일까? 도저히 기억이 나질 않는다.

인기척을 느꼈는지 어떤 아줌마가 나에게 와서 말을 거는데 이 사람은 누구인가? 왜 모르는 사람이 나에게 아는 척을 하고 있단 말인가? 우리 식구들은 어디에 있지? 어쨌든 급한 불부터 끄려는 심산으로 화장실을 가야겠다고 하니 이 아줌마가 나보고 기저귀에 그냥 오줌을 누란다. 아니, 내가 갓난애도 아닌데 나보고 기저귀에 오줌을 누라고? 나를 뭘로 보고 한다는 말인가? 내가 성질을 내며 화장실에 가겠다고 하니 기저귀를 채웠으니 그냥 누면 된다고 누차 말한다. 그리고 보니 아랫도리에 뭔가가 채워져있는 것 같다. 이 기저귀는 누가 채웠단 말인가? 아무리 그래도 그렇지 내가 어떻게 기저귀에 오줌을 눈단 말인가? 이건 나에 대한 모욕이다. 내가 얼마나 깔끔한 사람인지 모른단 말인가?

아무래도 내 손등에 있는 줄 때문에 못 일어나게 하는 것 같다는 생각에 손등에 붙은 테이프를 떼려고 하니 이번엔 간호사까지 나서서 나를 막는 것이 아닌가? 도대체 왜 오줌 하나도 내 맘대로 하지 못하게 하는가? 다들 잘못해도 한참을 잘못하고 있다 나에게.

안간힘을 써서 그들과 싸우다 결국 오줌을 참지 못하고 기저귀에 싸고 말았다. 뜨듯한 오줌이 기저귀를 무겁게 적셨다. 오줌보의 시원함보다 수치스러움이 온몸을 적셨다. 아줌마와 간호사가 내 허락도 없이 옷을 벗겨 기저귀를 갈아주고 있다. 내가 할 수 있는 것이라고는 엉덩이를 이리 저리 옮겨주는 것 뿐이다. 이마저도 한쪽은 아파서 하지도 못했다.

나에게 무슨 일이 일어난 걸까? 여기는 어디고, 난 왜 여기에 이러고 있는 걸까? 집에 할 일이 얼마나 많이 쌓여있는데 여기서 이러고 있을 일이 아니다. 솥에 쌀을 앉히고 불을 때서 밥을 지어야 아이들 도시락도 싸고, 학교도 보내지. 그리고 이맘 때 고추 모도 심어야 하는데... 남편은 밭을 미리 갈아놓았는지 모르겠다. 남편에게 물어보고 싶은데 남편이 보이지 않는다. 아마도 소 여물을 쑤고 있나보다.

내 마음은 이리도 급한데 누구 하나 서두르는 사람이 없다. 그들에게 물어보니 내가 엉치뼈를 다쳐서 병원에 입원한 것이라고 한다. 엉덩이가 아픈 것이 그것 때문이었구나~ 그런데 내가 어쩌다가 다치게 되었는지 기억나지 않는다. 그래도 그렇지 할 일이 태산 같은 내가 여기서 이렇게 밥 먹고 TV만 보고 있어도 되는 걸까? 마음이 편치 않다.

저녁 나절에 어떤 나이 든 남자가 와서 나의 안부를 묻고 간호사와 이러쿵 저러쿵 이야기를 한다. 가만히 보니 어디서 본 듯한 얼굴이다. 아저씨는 누구냐고 물어보니 큰 아들이란다! 지금 도시락 싸서 학교 가야 할 내 아들이 이 아저씨라고? 내 아들이 언제 이렇게 나이가 들었단 말인가! 너무나 기가 막히다. 그래도 큰 아들이라니 이젠 집에 갈 수 있다는 생각에 마음이 들떴다. 그런데 내 마음을 아는지 모르는지 큰 아들은 나에게 같이 가자는 말을 하지 않는다. 이내 내가 먼저 집에 가자고 하니 아들이 고개를 절래절래 흔들면서 여기서 다 나아야 갈 수 있다고 한다. 난 이제 아프지 않다고 말해도 통하지 않는다. 한참을 앉아있던 큰 아들은 복잡한 표정을 하며 떠나고 말았다. 나 홀로 남겨진 병실 안의 불빛이 갑자기 어두워진다.

한밤 중 잠에서 깨어나니 정신이 명료해진다. 지금 이 순간만큼은 존엄한 나, 내 인생과 마주해보자.

내 나이 91세. 여긴 제천의 어느 병원. 나는 얼마 전 넘어져 엉치뼈가 부서져 병원에 입원해 있다. 인정하고 싶지 않지만 나는 치매 노인이다.

꽃을 좋아하고 아이를 좋아하는 나는 전쟁과 가난 속에서도 칠남매를 낳아 반듯하게 잘 키웠다. 지금 내 손주들만 해도 10명이 넘으니 얼마나 다복한가? 병이야 나이 들면 당연스레 오는 일이니 이제는 받아들여야겠지. 나로 인해 고생하는 아들, 며느리를 위해서라도 지금의 이 상황을 잘 이겨내자.

어쩌면 내 생이 이곳에서 끝나게 될지라도 그래, 그래도 이 정도면 잘 살았다. 언제 다시 정신을 놓을지 모르겠지만 내 인생이 괜찮았다는 것, 행복했다는 것을 잊지는 말자. 사랑하는 아들, 딸들에게 행복한 엄마의 모습으로 기억되길.....

2024년 3월의 어느 날

소중하고 아름다운 것은
나를 중심으로 찬란하게 빛이 날 때입니다.

소곤카페인 독백

안재욱

안재욱, 소곤카페인

▌ 30여년 직장인으로 살아가며 지금은 리추얼 라이프를 통해
글쓰는 작가 및 코치 활동과 지방자치 참여의 꿈을 만들어 가고 있습니다.
특히, 글쓰기를 통해 새로운 세상과의 만남을 꿈꾸는
작가(필명: 소곤카페인) 입니다.

▌ (사)한국코치협회 인증코치 KAC
▌ KNF 기술본부 책임연구원(재직)
▌ 자치분권대학 연구교육원 시민위원('23년 다이어몬드상 수상)
▌ (사)희망의 책 대전본부 운영이사
▌ 내가 나로 반짝이는 시간(공저, 수필집, '23년)
▌ E-mail: netajw@hanmail.net

그냥 내가 짱이다!

겨울바람이 매섭다. 계절에 맞게 겨울은 추워야 제 맛이 나겠지만 난 추운 겨울이 싫다. 눈발 날리는 추위를 피하기 위해 고개를 숙이고 목과 어깨를 움츠리며 두 손을 주머니에 집어넣고 발을 동동 그리며 집으로 서둘러 걷는 모습이 자신감 없이 고개 숙인 가장의 모습으로 비쳐져 보기 싫다. 그나저나 난 겨울을 언제부터 싫어했을까?

요즈음 세월의 빠름을 절실하게 실감한다. 30여년 직장인으로 살아가다 점점 은퇴의 시간이 가까워 오니 지나간 세월이 광속보다 더 빠르게 지나갔음을 뒤늦게 깨닫는다. 만약 시간이 눈에 보인다면 저만치 지나가는 시간을 꽉 붙들어 잡고 싶다.

"시간아 나랑 놀다 가면 안되겠니?"

인생 3막중에 벌써 1막, 2막이 지나가고 은퇴 후 노년에서 죽음에 이르는 마지막 3막의 시작이 몇 년 남지 않았다. 계절에 비유하자면 그냥 춥기만 할 것 같은 겨울의 계절이 눈앞에 와 있는 느낌이다. 은퇴에 대한, 허전하기만 하고 웬지 즐겁지 않을 것 같은, 막연한 느낌이 겨울의 춥고 쓸쓸한 어두운 면 위에 겹쳐져서 그런가 보다. 그래서 겨울이 언제부터인가 싫어졌나 보다. 만물의 소생을 알리는 따뜻한 봄이 지나고 푸르고 젊은 여름 청춘을 건너서 풍성한 결실의 계절 가을을 넘어서면 깨끗하고 눈부신 하얀 세상속에서 춥고 외롭기만 한 긴 겨울만이 기다리고 있을 것만 같다. 만약 노년을 겨울에 비유한다면 난 그 춥고 힘든 겨울을 어떤 식으로든 극복해내고 새싹이 돋아나는 희망찬 봄을 인생에서 다시 만나고 싶다.

이미 은퇴한 선배들의 "은퇴준비는 빠를수록 좋다"는 조언을 받아들여 난 또래의 동료들보다 좀 더 일찍 은퇴 후 생활을 위한 준비를 시작했다. 인생 3막은 온전히 나 자신만을 위해 살고 싶다. 그동안 가장의 책임과 사회적 책임을 다하기 위해 나 자신을 위한 삶을 포기하고 희생했다면 앞으로 시작되는 노후 생활은 진정으로 내가 하고 싶었던 일이나 배우고 싶었던 취미 또는 사회봉사활동 등을 즐기면서 나를 사랑하고 나를 존중하는 삶으로 살아야 한다는 꿈을 가져 본다. 그렇다면 내가 하고 싶은 것은 무엇일까? 생각보다 답이 쉽지 않은 물음이다. 경제적 노후 준비가 충분하지 않지만 다행이 걱정하며 살 정도는 아니었고 아이들도 다 커서 가장의 부담을 벗어날 수 있기에 하고 싶은 활동에 대한 선택이 다소 자유로웠다. 나의 도전을 응원해주는 가족 또한 커다란 지원군이 되었다.

은퇴준비 1~2년차는 20여년전에 논문제출을 하지 않아 수료 상태로 남아서 항상 마음에 걸려왔던 경영학 석사학위에 도전했다. 상담 후에 경영대학원에 재등록했다. 나이 어린 교수들의 지도속에 젊은 중년의 학생들과 퇴근 후 야간수업을 듣고 과제수행과 시험을 통해 부족한 학점을 채웠고 논문작성 없이 석사학위 취득에 성공했다. 나의 프로필에 공부의 흔적과 전문성을 더 할 수 있게 되었다. 더 나아가 사람과 어울리는 것을 좋아하는 성격을 바탕으로 라이프 또는 비즈니스 코치 활동을 하면서 노후를 보내면 보람 있겠다 싶어서 코치 기본교육을 받고 코칭 실습, 필기 및 면접시험을 통과해 코치 자격인증을 받았다. 자격증 시험 요건에 필요한 코칭 실습을 할 때는 코칭 대상을 구하지 못해 7개월여 동안 질질 끌게 되어 중도포기에 대한 유혹과 갈등이 심했지만, 다행이 후배 동료들의 도움으로 무사히 이겨낼 수 있었다. 그 누구의 축하보다도 포기하지 않았던 나 스스로 무척 대견하고 기특하고 이쁘지 않을 수가 없었다.

은퇴준비 3년차는 퍼스널 브랜딩을 위해 책출간에 도전했다. 학창시절이나 직장생활에서도 틈틈이 책을 읽고 글 쓰고 기록하는 것을 좋아하였기에 무엇보다도 노후생활에 가장 하고 싶은 일은 글쓰기였다. 책출간은 버킷리스트중의 하나이기도 하다. 그러나 글쓰기를 통해 책출간을 무턱대고 혼자 달성하기에는 어려움도 많고 아직 모르는 게 많아서 글쓰기 온라인 수업을 듣고 책 출간 과정을 공부했다. 그러다 우연히 글로 모인 사이라는 공저 출판 프로젝트에 참여해서 글을 여러 편 쓰고 몇번의 퇴고를 거쳐 "내가 나로 반짝이는 시간" 이라는 공저 수필집을 출간할 수 있었고 내 책이 시중에 판매되는 영광과 더불어 부끄럽지만 작가(필명, 소곤카페인)의 타이틀도 갖게 됐다. 생각할수록 놀라운 일이었다. 가족들과 친구들도 내 책을 선물 받고도 차마 믿지 못하는 모습이었다. "그 나이에 책을 써서 작가가 됐다고?"

은퇴준비 4년차에 해당하는 올해 1월에는 사회모임으로 가입한 단체 두 곳에서 회원들을 대상으로 북콘서트(안재욱 작가와의 만남)를 갖자고 해서 벌써 2번이나 개최했다. 단독 책도 아닌 공저

책으로 진행하는 작가와의 대화가 쑥스럽고 무척 어색했지만 한번 해 보자는 용기를 냈고 주변의 격려로 무사히 잘 끝마쳤다. 죽기전에 작가가 되어 강연을 하거나 북콘서트를 해보는 것이 목표였는데 어느새 꿈을 다 이룬 것만 같았다. 혼자 쓴 책이 아니어서 여러가지 부족한 점이 많았지만 작가만이 갖을 수 있는 이런 경험을 통한 자존감과 행복감은 어마어마했다. 마치 세상을 다 얻은 듯한 기분이었다. 올해 두번째 공저 수필집을 준비중에 있고 독자적으로 쓴 자기계발서 출간 계획을 내년까지 세웠다. 꾸준한 글쓰기 및 책쓰기를 통해 노후생활을 보람 있게 즐기며 덤으로 책 강연을 통한 용돈까지 벌 수 있다면 나의 노후준비는 훌륭하다고 믿는다.

봉사단체에 가입해 봉사활동에 매달 참여하기, 법무부 산하 범죄예방위원회 위원으로 청소년 상담하기, 문학 및 예술사랑 모임에 가입해 문화생활 활동하기, 희망의 책 대전본부 운영이사로서 독서활동 홍보 및 지원하기, 지방자치와 분권을 공부하며 지방자치사 준비하기 등, 해야 하거나 하고 싶은 활동이 너무너무 많다. 이렇게 하고 싶은 것이 많은 노후 활동에 대해 건강과 비용을 걱정하는 지인들이 있지만 난 신경 쓰지 않는다. 난 내가 하고 싶은 것을 내 마음대로 최대한 실천하다가 미련없이 떠나고 싶다. 언젠가 어느 책에서 보았던 다음 문구를 기억하고 사랑한다.

"어차피, 나 말고 누구도 나에 대해 깊게 생각하지 않는다.

그냥 내가 짱이다!"

당신은 행복하시나요?

"당신은 행복하시나요?"

우리가 말하는 행복이란 무엇일까? 과연 행복은 어디에 있는 것일까? 왜 우리는 행복을 찾아 다녀야 할까? 행복은 우리 삶의 궁극적 목표일까? 행복하지 않으면 무엇이 문제가 되는 것일까?

인류의 역사속에 성인과 철학자를 비롯해 많은 사람들이 토론하고 찾아낸 행복에 대한 정의가 여전히 우리 마음에 쉽게 와 닿지 않는 이유는 무엇일까? 행복은 결코 어려운 것이 아닐 텐데 말이다.

최근 들어 난 자주 행복하다. 나에게 무슨 일이 생긴 걸까? 전에는 잘 몰랐지만 요즈음 나보다 더 나를 좋아해 주고, 나의 삶과 행복을 적극적으로 응원해 주는 사람들이 생겼다. 그런 지인들을 만나 맛있는 식사를 함께 하거나, 차 한잔 하며 공감과 소통의 좋은 시간을 갖을 때, 난 그 순간이 무척 행복하다고 느껴질 때가 많다. 더욱이 그들의 능력과 도움으로 나의 꿈이 서서히 이뤄져 가거나 달성될 때는 더 이상 말할 필요도 없이 행복하고 행복하다. 내가 하고자 하는 꿈을 달성했는 데 행복하지 않다면 그것이야 말로 더 이상한 것이 아닐까?

다른 사람에게서 행복을 경험한 사람은 또 다른 사람들에게 행복을 선물해 주는 행복 천사가 될 수 있다고 난 믿는다. 경험을 통한 근거 있는 믿음이다. "행복 천사!" 얼마나 멋진 말인가? 나도 기회가 오면 언제든지 행복 천사가 되고 싶다. 내가 느낀 행복을 전달해주는 기버(Giver)의 삶을 살아 가고 싶다. 우리나라의 전통문화 여건 및 불공정한 사회 시스템 등으로 인해 행복한 삶을 쉽게 만들어 가는 것이 매우 어려운 것이 사실이지만 그럴수록 사람들은 주변의 행복 천사를 자주 만나야 되고, 그런 행복 천사로 인해 행복을 느껴서 행복해지는 사람이 된다면 모두에게 커다란 행복이 아닐까?

행복 천사가 그 사람의 생각, 행동, 장점 등을 인정해주고 칭찬하며 그의 성공과 행복을 항상 응원해주는 행복 비타민 같은 존재라면, 행복 천사를 만날 때마다 그 사람은 행복한 마음을 갖게 될 것이다. 서은국 작가의 '행복의 기원' 이란 책에 따르면 "행복은 강도가 아니라 빈도다. 행복한 감정을 자주 느껴야 그게 쌓여서 행복해진다. 행복은 목적이 아니라 살아 가기 위한 수단" 이라고 한다.

가능한 한 여러분을 인정하고 응원해주는 지인들을 자주 만나, 맛있는 식사를 함께 하며 여러분의 꿈과 희망을 진심으로 공감해 보길 추천한다. 여러분의 꿈과 희망을 도와주는 그런 지인들의 영향으로 우리 모두가 꿈을 이루는 행복한 사람이 되고 그런 행복 천사들이 우리 주변 곳곳에 있어서 서로에게 또다시 행복 천사가 된다면 모든 사람들이 행복한 사람들이 될 것이고 그런 이 세상은 반드시 행복한 세상이 될 것이다. 이렇게 서로에게 행복한 세상이 있다면 상상만 해도 즐겁고 행복하지 않은가?

"당신은 행복하시나요?"

혹시 아니라면 나를 좋아하고 응원해 주는 주변의 행복한 사람을 꼭 찾아서 만나보세요.

이것은 덕담인가 악담인가?"

그를 보고싶다. 방금 전에 보고 나왔는데도 출근을 위해 회사 셔틀버스를 기다리는 동안 문득 올려 다 본 잿빛 하늘이 그를 그리게 만든다. 그도 날 보고싶어 할 텐데…

우리집에는 사랑하는 그가 있다. 아니 사랑한다는 건 어쩌면 나 혼자만의 생각인지도 모른다. 그를 만난 지 벌써 올해로 딱 11년째다. 아버지가 갑자기 돌아가셔서 슬픔에 허덕이던 그해 여름에 그를 병원에서 우연히 만났다. 몇일만에 우린 금방 친해졌고 그후부터 지금까지 한가족처럼 지냈다. 그때나 11년이 지난 지금이나 그를 생각만 하면 한결같이 기분이 좋아진다. 흐뭇한 미소가 지어지고 미소가 모여 웃음이 절로 난다. 그러다 심지어 행복해진다. 이유 없이 울적하거나 기분이 나쁜 날엔 그를 떠올리면 기분이 좋아지고 위로가 된다. 이런 친구가 세상에 어디 있을까?

내가 출근하거나 외출을 하면 그는 하루 종일 내가 집에 돌아오기 만을 기다린다. 내가 없으면 밥도 먹지 못하고 문밖으로 나가지도 못한다. 내가 없는 집안에서 무엇을 하는지 본적은 없지만 아마도 자기 침대에서 잠만 자는 듯하다. 더욱 안타까운 건 말도 하지 못하고 읽거나 쓰지도 못한다. 말을 할 수 있다면 얼마나 좋을까? 내게 신의 능력이 생긴다면 제일 먼저 그가 말을 하도록 만들고 싶다. 난 그에게 궁금한 것이 무척 많다. 오늘 기분은 좋은지? 아픈 데는 없는지? 무엇을 제일 먹고 싶고, 산책은 언제, 어디로 가는 걸 좋아하는지? 무엇보다 궁금한 건 나를 얼마나 사랑하는지? 그의 모든 것을 정말 알고 싶다.

한없이 맑고 우수 어린, 애달픈 듯한 그의 눈을 마주할 때마다 바쁘다는 핑계로 같이 어울려 놀아주지 못한 미안함과 마음과는 다르게 잘 살펴주지 못한 죄책감에 정말 마음이 아프다. 그런 내 마음을 아는지 모르는지 그는 나를 보기만 하면 싫어하는 내색은 커녕 항상 먼저 달려오고 매번 오랜만에 만난 것처럼 진심으로 무척 반가워 해준다. 내가 손을 붙들고 이야기를 시작하면 투덜대거나 잔소리 없이 끝날 때까지 들어만 주고 내가 이리 가든, 저리 가든 무조건 나를 따라준다. 그는 말은 하지 못해도 나를 얼마나 사랑하고 있는지, 그가 죽을 때까지 나를 의지하고, 나만 믿고 따를 것을 행동으로 보여주고 실천한다

언뜻 봐도 무척 잘생기고 남자답게 늠름하고 용감하며 무작정 달리기가 장기인 그의 이름은, 외자 이름을 가진 "슈"다. 조상이 독일산 슈나우저라서 '슈'라고 이름을 지었다. 하루 종일 집에 있는 어떤 휴일날은 슈가 아니라 '내새끼'라고 부를 때도 많다.

사람인(人)자는 사랑하는 사이로 지내다 가도 수많은 이유와 갈등을 핑계로 되돌릴 수 없는 뼈아픈 배신을 하지만 슈를 포함한 반려견들은 우리를 어떠한 경우에도 절대 배신하지 않는다. 우리가 그들을 모르는 곳에 내다 버려도, 버려진 그 장소에서 우리가 돌아오기만을 기다리며 행여 자기를 못 찾을까봐 눈이 오나 비가 오나 그 자리를 떠나지 않고 지킨다. 한번 맺은 인연과 사랑에 목숨을 바친다. 만물의 영장인 우리는 영원한 사랑과 믿음을 그들처럼 왜 주지 못할까? 매우 안타깝게도 사랑과 갈등으로 생기는 비극적인 사건들이 끊이질 않고 있다.

사랑하는 마음과 태도는 어찌해야 할까? 우리의 반려동물과 같은 마음으로 행동을 하면 된다고 말하고 싶다. "개 만도 못한 놈"이 괜한 소리가 아니다. 사랑하는 이가 부르면 달려가서 기쁘든 슬프든 함께 해주고, 애기하면 공감으로 들어주고, 시기하지 않고 언제나 지켜봐 주며 사랑하고 응원해주는 그런 마음을 지켜 나가자고 전하고 싶다.

"사랑하는 나의 슈에게,

다음에 환생하면 꼭 사람으로 태어나서 먹고 싶은 음식 모두 먹고, 애기하고 싶은 거 모두 말하고, 놀고 싶거나 가고 싶은 곳에 꼭 가거라"

개 팔자가 상팔자라는 데, 인생이 힘든 사람으로 태어나라고 하는 이것은 덕담인가? 악담인가?

잃어버린 좋은 질문

우리는 무엇인가를 잘 이해하고 싶거나, 전혀 모르는 것을 알고 싶거나, 어렴풋이 아는 것을 확실하게 확인하고 싶거나 또는 타인의 생각을 알고 싶을 때 등 수많은 경우에 자의 든, 타의 든 하루에도 수많은 질문을 하며 살아가고 있다. 때로는 남들이 질문한 것에 대리 만족하기도 한다. 아니 어쩌면 질문을 하고 싶었는데 남의 눈치를 보거나, 남들 앞에 나설 용기가 없어 질문을 하지 못하거나 질문하는 행동에 자신이 없고 질문 자체에 문제가 있을까 봐 차마 손을 들어 말을 꺼내지 못하고 그냥 지나치는 경우가 더 많을지도 모른다.

요즈음 다음 달에 있을 제22대 국회의원 선거와 관련하여 각 정당의 시스템 공천과 사천 공천에 대한 결과 및 문제점에 대해

갑론을박하며 온 나라가 무척 소란스럽다. 그런 정치와 관련된 수많은 질문이 방송과 신문을 넘어서 우리 주변에도 난무하지만 우리의 속을 시원하게 해주는 명확한 해명과 희망을 제시하는 답변 내용은 불행하게도 찾아볼 수 없다. 내로남불의 입장에서 상대편 탓만 질책하는 질문 아닌 질문과 답변이 없어도 되는 단답형 질문 등이 안타까운 현실이다. 왜 그럴까? 올바른 질문이 없어서일까? 잃어버린 좋은 질문을 찾고 싶다.

강남순 교수가 쓴 "질문빈곤사회"에는 다음과 같은 구절이 있다. "사유세계로 초대하는 좋은 질문 하기가 훨씬 중요하다고 생각한다. 좋은 질문은 우리의 호기심을 흔들어 깨우면서 보다 나은 나의 삶, 보다 나은 세계를 향한 방식을 모색하고 판단하고 행동하게 한다. 이 점에서 올바른 질문을 묻는 법을 학습하고 연습하고 실천하는 것은 참으로 중요한 살아있음의 과제라고 할 수 있다."

또한 작가는 한국사회가 질문빈곤사회가 된 이유를 다음과 같이 설명하고 있다. "기존의 구조와 현상을 있는 그대로 받아들이고 그것을 당연하고 자연스러운 것으로 생각하는 이들은 결코 질문하지 않는다. 질문하지 않는 사회의 특징은 답변을 "예" 라고만 하는 것이 미덕으로 간주된다. 어른-아이, 상사-부하, 선배-후배 등의 위계주의가 기본적 관계구조인 한국사회는 결국 질문빈곤사회가 될 수밖에 없다.

그렇다면 좋은 질문, 올바른 질문이란 무엇일까? 정해진 기준이 있는 것은 아니지만, 나쁜 질문은 "예" "아니오"라는 단순한 답변만을 요구하거나 질문 자체가 잘못된 전제를 기초로 구성된다. 이와는 반대로 좋은 질문이란 올바른 전제를 기초로 구성되고 답변을 하기 위한 답변자의 성찰을 유도하는 질문이라고 생각한다. 올바른 답변을 얻기 위해서는 먼저 올바른 질문을 해야만 한다는 말에 커다란 공감이 간다. 전통적인 위계주의를 극복하고 "예"가 아닌 "왜?"라는 올바른 질문을 통해 우리사회가 긍정의 진보와 변화를 좋아하는 사회로 하루빨리 변하기를 기대한다. 우리는 할 수 있다.

　아울러, 우리가 올바른 질문하기를 좋아하려면 질문의 출발점인 관심과 호기심을 갖고 현상 유지적 삶에 대한 비판적 사유를 바탕으로 좀 더 성찰하는 삶에 집중해야 할 것 같다.

나를 설레게 하는 예술

"카톡", "카톡"

휴대폰에 카톡 알람 소리가 계속 울렸다. 모임에서 소개받아 인사 나눈 지 얼마 안된 A 변호사의 카톡이다. 문화예술을 사랑하는 오피니언 그룹을 새로 조직해서 순수 예술활동 공유 및 지원하는 모임을 만들고자 하는데 그 모임에 창립 멤버로 참여하라는 카톡이었다. 음악, 미술과 문학 생활을 항상 동경하며 공연에 참여하는 예술가들을 존경하고 있던 차에 지역 예술가들과 어울릴 수 있는 무척 좋은 기회로 반가운 요청이었지만 내가 무슨 자격으로 가입할 수 있나 싶어서 일단 생각해 보겠다고 했다.

가입이 예정된 회원들의 약력을 받아보니 내가 동경하던 분야의 예술인들이 많아서 그들과 만나서 같이 활동할 수 있다는 생각에 한편으론 마음이 설레고 또 설레었지만 반면에 음악 및 미술과 관련된 분야에서 관객 모드가 전부인 나로서는 그들과 나눌 공감대가 부족하기에 어울릴 자신감이 없어졌다. "합창단 지휘자, 오페라단 단장, 관현악단 대표, 피아니스트, 플루티스트, 첼리스트, 화가, 갤러리 관장, 영화음악 및 클래식 해설가, 아나운서, 프로듀서, 성악가, 공연 기획자 등등" 지역 예술가들의 면면에 기가 죽어 가입 의사를 주춤거리고 있는데 "형님도 책을 출간한 작가이고 북토크도 하셨으니 활동에 관심이 있다면 문학분야에 충분히 자격이 있다"는 격려의 말에 A가 자꾸 권유한다는 핑계를 대고 못 이기는 척 가입을 승낙했다.

벌써 여러 달이 지났고 그동안 모임에 참석해 나를 설레게 하는 예술을 사랑하는 회원들과 인사를 나누고 친분을 다졌다. 다행히 그들은 나의 존재를 존중해주고 그들과 어울림에 아무 문제가 없도록 배려해 주며 지역 공연예술과 예슬 관련 교육에 관심을 갖고 적극적으로 참여하려는 나를 더 좋아해주고 있다. 지금은 우리 회원이 참여하는 지역공연 소식이 공유되면 마음 설렘과 더불어 기분이 싱숭생숭해진다. 나의 설렘이 눈으로 보일 정도다. 그야말로 격세지감이다.

예술이 전공이자 전문 취미인 그들이 자기 예술사랑을 자랑할 때는 모든 것이 신기했다. 나 하곤 다른 세상에서 살아온 게 맞았다. 그들의 마음과 생각이 새로웠다. 그들의 생김 또한 멋있고 독특했다. 가끔 아침에 들어보라고 추천하는 피아노협주곡 음악이 올라오기도 하고, 유명한 세계 미술관 그림들에 대한 설명은 매일 올라오며, 때때로 영화음악과 설명이 등재되는 모임 카톡 방은 확실히 다른 카톡 방과는 내용이 다른 신세계이다.

그러나 이렇게 나를 설레게 하는 예술이 내년 정도가 되면 지금 같은 설레임은 사라질 것 같다. 지금처럼 예술과 자주 어울리다 보면 예술에 대한 설렘이 익숙함으로 변화될 것 같은 예감이 든다. 아마도 예술에 대한 관객 모드가 아니라 예술가가 되기 위해 노력하고 있는 나를 보지 않을까 싶다. 응원한다!

지역 변두리에서 조그만 음악 카페를 운영하지만 한국 가곡 부르기, 음악과 친해지기, 1인 악기배우기 등 여러 활동을 통해 지역 예술문화를 살리기 위해 고군분투하고 있는 존경하는 예술가의 한마디를 전하고 싶다.

"예술과 음악은 결코 돈과 시간이 남아서 하는 여유생활이 아니다. 인간답게 살기위해 꼭 필요한 하나님의 선물이다"

나만의 달콤함을 위한 '행복넛지(Nudge)를
만들어 볼까요?

곡직향전(曲直向前)

굽은 길이든 곧은 길이든, 저마다는 조금씩 나아가고 있다.
잘해왔고, 잘하고 있고, 잘 될 것이다.

이화랑

이화랑

▌ 특수교사, (사)한국코치협회 인증코치 KPC, 임상심리사 2급, 교육학석사
▌ Dive Master(PADI), Ski Level 2(대한스키지도자연맹)
▌ 논문: 자유선택 상호작용놀이가 발달지체유아의 사회적응기술에 미치는 효과
(2010, 순천향대)

▌ 예술학, 체육학, 교육학, 심리학 등 여러 분야의 전공과 다양한 취미를 넘나들며 호기심이 생기면 곧장 파고들어 도전하는 삶을 살았던 치열한 청년기를 정리하고, 이제는 신참 중년으로서 여유와 고요함도 즐길 줄 아는 사람이 되어가고 있다. 장애학생들을 가르치는 일을 하며 평일엔 소풍 가듯 출근해 신나게 일하고, 쉬는 날엔 '아무것도 하지 않을 자유'를 오롯이 누리며 혼자서도 충분히 괜찮은 시간을 보낼 줄 아는 그녀는 '나답게 쓰임이 있는 삶'을 살다 후회 없이 잘 죽을 수 있기를 소망한다. 향후 장애학생과 그 가족들을 위한 심리코칭센터 개원을 목표로 교육과 상담, 코칭을 아우르는 역량의 '크로스 오버'를 꿈꾸며 매일 이것저것 배우고 나누고 감사하면서 재미나게 살고 있다.

나대로 산다

태어나 마흔두 번째 새해를 맞는다. '꼴깍' 하고 해가 넘어가는 그 순간, 제야의 종소리를 듣는 것, 그리고 핫(Hot)한 장소에서 새해 일출을 보며 새로운 결심을 하는 것이 누군가에게는 설레는 일이겠지만 나에게는 감흥이 좀 덜한 편이다. 우선 사람이 많은 곳은 나에게 에너지 도둑이며, 때맞춰 종소리를 들었건 말건, 나는 늘 그래왔듯 뭔가를 꽁냥꽁냥 찾아가며 재미있게 살 것이기 때문이다. 물론 새해전야나 해맞이 행사가 주는 어떤 의미나 뿌듯함은 있겠지만, 꼭 그래야만 하는 것이 아니라면 내 마음의 소리에 귀 기울이며 사는 것이 조금 더 현명함을 마흔 언저리에서야 알아가고 있다. 그래서 나는 내 몸이 바라는 대로 편안하게 잠이 들며 한 해를 마무리했다. 그리고는 느지막이 일어나 물끄러미 창밖을 바라보았다. '해 떴나?' 흐렸다. 집에서 맞는 나나 밖에 있는 사람들이나 날 흐린 건 매 한 가지였다. 나는 실컷 자길 잘했다고 생각하며 냉장고 문을 열었다.

방학하는 날 동료 선생님 한 분이 떡국을 주셨다. 엄지손톱보다 약간 더 큰 꽃 떡국인데 아까워서 저걸 어찌 먹나 싶을 정도로 알록달록 예쁜 빛깔에 모양도 앙증맞게 생겼다. 주신 정성을 생각해서 '떡국은 꼭 끓여봐야지!' 마음먹었던 터라, 계란 지단을 부치고 소고기를 다져서 고명을 만들기 시작했다. 불린 떡을 간장으로 살짝 간을 해두면 맛있다기에 정성껏 밑 간도 해두었다. 사골국물이 뽀얗게 끓고 있었다. 간이 잘 배인 쌀떡과 꽃 떡을 조심스럽게 함께 넣었다. 그리고 드디어 해가 중천에 떴을 때쯤 김가루 고명으로 마무리한 떡국을 그릇에 예쁘게 담아 김치 한 종지, 수저 한 벌과 함께 단촐하게 차려냈다. 나에게 대접하는 새해 첫 끼였다. 뜻깊은 새해 첫 떡국을 챙기게 해준 동료 선생님께 감사함을 느끼며 나는 떡국을 아주 우아하게 먹었다.

그렇게 나의 고요한 새해가 시작되었다. 기분이 아주 그만이었다. 예전엔 새해 전야에 제야의 종소리 같이 듣자고, 멋진 곳에 일출 보러 가자고, 뭔가 그럴싸한 이벤트를 바라며 아무개를 닦달하던 나였다. 사람들이 으레 하는 것들을 좋아하지도 않으면서 나도 해야 한다고 생각했던 '가짜'를 내려놓고, 내가 자고 싶을 때 잠들고, 깨고 싶을 때 깨고, '떡국은 새해 아침에' 법칙을 생략한 채 내 시간에 맞춰 첫 끼니를 챙기니 왠지 모를 해방감이 느껴졌다. 숨통이 탁 트이는 기분! 아무도 없는 산꼭대기에서 '야아~~호오~~~!!' 지를 때와 같은 벅차오름이었다.

늘 다른 사람들부터 살피기 바빴던 너,
이제는 내 마음도 좀 살피면서 살자!

'달그락 달그락' 설거지를 하며, 올해가 청룡의 해 '갑진년(甲辰年)'임을 생각하다 문득 '값진 년(年)'이라는 아재 말장난이 떠올라 피식 웃었다. 그리고 이렇게 여유로운 새해를 맞을 수 있는 편안한 집에 내 마음 잘 들어주는 내가 함께 있어서 참 좋다고 속삭였다. 나의 갑진년이 '값진 년(年)'이 될 수 있도록, 새해엔 이렇게 '나대로' 살기로 했다. 껍데기를 또 한 겹 벗은 느낌이다.

[글배웅] 머릿속에 계속 맴돌던 글이었지만 정리할 엄두가 나질 않아 원고 마감일을 넘겼다. 내 마음 내킬 때 쓰고 싶었는데 그러길 잘했다. 쫓기지 않고 즐겁게 쓴 나를 칭찬한다.

고립되어도 괜찮은 이유

　　대전 서구 월평동 산골에 있는 한 동짜리 작은 아파트에는 '40대 독거녀'가 산다. 그녀는 가르치는 일을 하고 있으며, 그녀의 생활 동선은 주로 집-학교-집으로 끝이 난다. 그녀는 먹고 자고 쉼을 챙기는 기본적인 욕구에서부터 취미를 즐기고 뭔가를 배우는 일까지도 대부분 집 안에서 해결을 한다. 코로나 위기 이후 'ZOOM'이라는 신세계를 만난 다음부터 그녀의 보금자리는 더욱 진가를 발휘하고 있으며, 그녀에게 있어 집이란 가장 안전하고 완벽한 벙커이자 창의력의 원천이다. 그녀의 집은 분위기 있는 카페이자, 숲속의 펜션이며, 도서관이자 영화관이기도 하다. 그녀의 집만이 풍기는 독특한 분위기는 친구들 대부분을 그녀의 집으로 찾아오게 하며, 한 번 앉은 사람은 시간을 따로 일러주지 않으면 일어날 생각을 잃어버리게 되니 주의가 필요하다. 그녀의 집은 사람을 잡아끄는 특별한 매력이 있고, 그 덕분에 그녀는 지독한 집순이가 되었다. 온종일 집에만 있어도 어마어마한 '꺼리'들을 발견해내고, 일주일 내내 입을 다물고 살아도 심심하지 않은 '혼자 놀기의 달인', 그녀는 바로 나다. 예전엔 집에서 한 이틀 혼자 지내다 보면 사람이 너무 그립고 좀이 쑤셨는데, 어쩌다 보니 고요함도 즐길 줄 아는 내가 되어가고 있다.

　　내가 참 좋아하는 코치님 한 분이 얼마 전에 다녀온 뜻깊은 여정에 대한 이야기를 들려주셨다. 제주도에 있는 '취다선'이라는 리조트에 가면 혼자서 조용히 쉼을 챙기면서 다도(茶道)나 요가, 명상수업을 들으며 평온함을 찾을 수 있다고 한다. 일상에서 벗어나 잠시 침묵하며 내면의 소리에 귀 기울일 수 있는 특별한 여정, 혼자서 가는 사람들도 제법 많다고 하니 나도 한 번 가볼까 하는 마음이 절로 생겼다. 나는 재빨리 검색 신공을 발휘하여 열심히 정보를 모아가며 여행 그림을 그려보기 시작했다. 숙소는 1박에 얼마고 항공료는 얼마쯤인가를 열심히 알아보며 언제 가면 좋을지 날짜를 살피던 나는 문득 궁금해졌다. '내가 왜 그곳에 가야 하지?' 구태여 비행기를 타고 숙박비를 들이지 않아도 산속에 있는 잘 정돈된 우리 집이 바로 '취다선'인데 말이다. 나는 이내 핸드폰을 가지런히 내려놓았다. 그리고 고요한 나만의 보금자리가 있음에 새삼 감사함을 느꼈다. 내가 좋아하는 모든 것이 가능한 세계 최고의 벙커, 그런 우리집에 사는 나는 참 행복한 사람이다.

북유럽에는 '휘게(hygge)'라는 문화가 있다. 덴마크나 노르웨이 같은 나라에 사는 사람들은 눈이 많이 내려 자주 고립이 되는 환경 때문에 바깥보다 집에서 보내는 시간이 더 많다고 한다. 집 안에서 가족끼리 하는 보드게임이나 실내를 아기자기하게 꾸미는 인테리어가 잘 발달한 이유도 그 때문인데, 소소한 일상의 행복을 중시하는 그들만의 삶의 지혜이자 생활방식이 바로 '휘게'다. 언젠가 '휘게' 문화에 대한 칼럼을 읽으며, 나는 다큐멘터리에서 보았던 '흘리'라는 마을을 떠올렸다.

진부령에 있는 마을인 흘리는 매년 겨울만 되면 온통 사방이 길 같아서 '눈에 홀린다'는 표현을 쓸 정도로 어마어마하게 눈이 내리는 오지마을이다. 어떨 땐 일주일 내내 눈이 내리기도 하고, 많게는 하루에 2~3m씩 눈이 쌓일 때도 있다고 한다. 다큐멘터리에 나온 동네 아저씨는 이렇게 살다 보니 크게 불편한 것도 모르겠다며 차고에 있는 제설차를 끌고 나와 마트에서 카트 밀 듯 여유롭고 능숙하게 쌓인 눈을 쓱쓱 밀고 있었다. 겨울이면 폭설로 인해 고립이 일상인 흘리, 그곳에서 오랜 기간 살아온 주민들은 하나같이 긍정적이며 표정들이 밝았다. 할아버지 한 분은 산책을 나설 때마다 카메라를 챙기셨는데 몇십 년을 살았던 고향 마을임에도 설경이 매일 다르다고 하셨다. 그날그날 멋진 설경을 찍어서 주변 사람들과 함께 본다는 이야기를 들으며, 무엇을 보느냐가 아니라 어떻게 보느냐에 따라 달라지는 삶의 지혜를 배운다. 그분이 삶을 대하는 태도가 카메라에 저장된 사진들 속에 고스란히 담겨있는 듯하다. 이웃 마을에 다니러 갔다가 눈 때문에 꼼짝없이 갇혀버린 할머니가 아들이 제설차로 길을 내고 올 때까지 동네 노인정에서 노래를 부르며 세상 태연하게 즐거운 시간을 보내고 계시던 장면도 인상 깊었다. 흘리에 사는 어느 할아버지의 오래된 일기장에는 '월요일에 종일 눈이 왔다', '화요일에는 종일 눈 오고', '수요일에는 종일 또 눈이 왔다'가 잔뜩 쓰여 있었다. 지겹도록 내리는 눈 속에 고립되어 좀처럼 마음먹은 대로 살기가 쉽지 않은 삶이 고단하고 무료할 법도 한데, 어쩌면 저렇게 다들 즐겁고 태연할 수 있을까? 어떤 주민은 흘리 사람들은 늘 눈 속에서 살아왔기 때문에 모두가 스키선수라며 자랑을 했다. 말하는 그분의 눈빛이 아이처럼 신이 나서 반짝이고 있었다.

어쩔 수 없는 환경적 열악함에 순응하고 살면서, 기다릴 줄 알고 불평보다는 즐거움과 감사를 찾을 줄 아는 흘리 주민들을 보며 행복에 대한 의미를 새삼 생각해보게 된다. 행복은 멀리 있지 않으며, 누구나 행복할 수 있다. 그저 발견하려는 약간의 노력과 연습이 필요할 뿐이라는 것을 흘리 주민들의 삶이 매일 증명해주고 있듯이 말이다. 지금의 나 역시 흘리 사람들이 살아가는 방식에 무척 공감하며 매일을 살고 있다. 고립이 되어도 괜찮다. 행복할 줄 아니까 말이다. 이렇게 쉬운 것을 그토록 밖에서, 사람들에게서, 일부러 만들어서만 찾으려고 했던 어린 시절의 나를 떠올려보면 등잔 밑이 어둡다는 말이 절로 나온다.

오늘 나는 무척 행복하다. 툭툭 내리는 빗방울이 무심하게 베란다 창문에 부딪혀 떨어지는 한가로운 오후 시간이다. 모락모락 김이 오르는 커피잔을 베란다 테이블에 올려놓고 '사운드 오브 뮤직'의 넘버 중에 'My favorite things'를 듣고 있다. 이어폰에서 새어 나오는 멜로디와 비트가 귓속을 타고 목덜미로, 다시 등줄기를 지나 온몸을 쿠궁! 쿠궁! 울리고 있다. 경쾌한 음악에 맞춰 내가 좋아하는 것들을 떠올리면서 지금 나는 충만한 행복을 느낀다. 그래 맞다. 행복에 있어서만큼은 나는 무척 가볍고 쉬운 여자다. 좋아하는 일을 하기만 하면 금세 행복해져 버리니 말이다.

　나는 커피를 좋아한다. 마시는 것도 좋지만 내리는 것을 더 좋아한다. 원산지와 품종, 가공방식, 로스팅샵과 로스팅 날짜, 입자의 굵기와 물의 온도, 내릴 때의 기온과 습도, 물줄기의 방향과 그날그날 내 기분에 따라, 같은 원두에서도 매일 다른 커피가 완성되는 '찰나의 순간'을 좋아한다. 내린 커피를 누군가에게 대접하는 것도 좋아한다. 더치커피나 드립백, 과일청 따위를 만들며 흠뻑 몰입하는 일도 즐겁고, 귀한 사람에게 나누어 줄 것을 상상해보면 더욱 신이 난다. 그리고 또 단톡방에 누군가 쓴 글 아래에 하트 도장 하나 찍어주는 일도 좋아한다. 나는 집에 같이 사는 주먹만 한 아프리카 왕 달팽이에게 상추를 줄 때 칼슘가루를 솔솔 뿌려 주는 것을 좋아한다. 세탁기나 건조기가 돌아가는 소리를 가만히 들으며 멍~ 때리는 순간도 좋아한다. 침대에서 이불을 똘똘 말고 핸드폰 보는 것을 좋아한다. 다육식물을 이리저리 돌려보며 고 녀석 참 통통하게 잘 크고 있다고 칭찬하는 일도 좋아한다. 지난주에는 오래

된 식탁에 인테리어 필름을 새로 씌웠다. 필름이 매끈하게 잘 붙여진 식탁을 보니 너무너무 뿌듯했다. 노란 조명이 반사되며 반질반질 윤이 나는 식탁을 보면서 나는 뭐라 설명할 수 없는 충만한 행복감을 느꼈다.

별걸 다 행복하다 싶기도 하지만 따지고 보면 행복이 뭐 별건가. 주변에 숨어 있는 좋은 것들, 놓치지 않고 쏙쏙 찾아낼 줄 알면 누구나 순식간에 그냥 행복한 거지. 물론 가끔씩 바쁘고 힘든 일들이 찾아오면, 오늘의 이 행복들이 시들하게 느껴지는 순간도 있을 것이다. 그러나 나와 아주 가까운 곳에 있는 시시콜콜하고 작은 것들에서부터 가장 먼저 행복을 찾고자 하는 지금의 이 마음가짐만큼은 오래오래 변함없이 잘 지켜내고 싶다.

또 하나의 나, 가족

엄마 돌아가신 지 어느덧 4년이 흘렀다. 기일을 맞아 기차를 타고 김해로 향하는 중에 융의 어린 시절 회고록을 보는데 아버지와의 관계에 대한 부분이 괜히 눈에 들어왔다. 나의 어린 시절과 내용은 달라도 뭔가 바라는 것들이 다 채워지지 않는 듯한 아쉬움이 왠지 모르게 공감이 되었다.

나는 물질적으로 부족함 없는 환경에서 자랐지만 내 기억 속의 아빠는 칭찬에 무척 인색했다. 아빠는 해외에 있는 유명 브랜드 운동화 공장들을 다니며 품질을 관리하는 일을 하셨고, 퇴사 후에는 여러 도전을 거쳐 지금은 소나무 전문 사진작가로 활동하고 있다. 그런 아빠의 키워드를 생각해 보면 '도전'과 '열정'이 자동으로 떠오른다. 어린 시절에 나는 호기심이 많았고, 동경하는 아빠에게 내가 새롭게 알게 된 것들을 자랑하여 칭찬과 인정을 받고 싶은 아이였다. 그러나 애석하게도 아빠가 그런 나를 사랑하는 방법은 틀린 점을 직설적으로 언급하며 더 나은 방향을 제시하는 방식이었다. 그 때문이었을까? 심리학을 공부하며 나 자신을 알아갈수록 나는 내가 인정에 대한 욕구가 은근히 강하고 그로 인한 '완벽주의'와 '평가불안'도 있음을 알게 되었다. 성인이 된 후 언젠가 고향 집에 뭔가를 잔뜩 시켜 보냈는데도 아무런 소식이 없자, 나는 아빠에게 칭찬과 감사에 왜 그렇게 인색하신지를 질문한 적이 있다. 돌아오는 대답은 "그걸 꼭 말로 해야 아나! 무뚝뚝해도 다 일장일단이 있다!"였다. 당시엔 서운했지만 한해 한해 나이를 먹어갈수록 아빠의 드라이한 표현방식의 이면에도 깊은 정이 있음을 느낄 수 있는 내가 되어 다행이다. 자라면서 느꼈던 칭찬과 인정에 대한 갈증으로 인해 늘 더 나은 내가 되기를 꿈꿀 수 있었듯, 융 역시도 이상적인 아버지상에 대한 결핍이 오늘날 심리학의 3대 거장을 만든 원동력이 되었겠거니 쯤 생각해 보며, 지금 나에게 가족이란 어떤 의미인지 잠시 질문해 보게 된다.

　떨어져 사는 K장녀는 항상 더 주어야 할 것 같고, 내가 못 해주는 것들이 미안하고, 고향에 있는 가족들을 생각하면 나만 달아나 편하게 사는가 싶어 죄를 짓는 듯 마음이 무겁다. 엄마 돌아가시고부터는 더 그렇다. 그래서 고향 집에 갈 기회라도 생기면 잠시도 쉬지 않고 부지런히 흔적을 남겼다. 쓸고 닦고 정리하고... 그 때문인지 집에만 다녀오면 자꾸만 병이 나곤 했다. 지난 추석 때는 다녀와 3일을 앓았는데, 엄마 제삿날 밤에는 서재에 이불 대충 깔아놓고 자려고 눕다가 코피가 쏟아졌다. 제사상이 그전보다 간소해졌음에도 마음은 내내 똑같이 무거웠던 모양이다.

그날 저녁 제사를 모시고 나서 나는 언제나처럼 음식과 제기들을 정리하는 일을 열심히 하고 있었다. 잘 정리해두지 않으면 내가 대전으로 가고 난 다음 집에 남은 두 남자는 아마도 이 음식들을 못 챙겨 먹고 버릴 것이 눈에 선하다. 생업을 마치고 돌아와 남은 뒷정리를 하려면 얼마나 서글플까 하는 측은함도 들어서 기왕이면 내려온 김에 정리를 잘 해주고 싶었다. 또 말끔히 정돈된 집에서 아빠와 동생이 얼마나 편안하고 쾌적할지를 생각하면 절로 신이 났다. 두 사람은 한 번도 부탁한 적이 없지만, 순전히 나 혼자 해주고 싶어서, 내 마음 좋으려고 하는 일이었다. 그렇게 혼자서 바동거린지 한 시간쯤 지났을까? 좋은 마음으로 시작은 했으나 제기들을 닦아 정리하고 남은 설거지를 하는데 '아 좀 힘드네...' 하는 고단함이 느껴지며 스물스물 꼬인 마음들이 올라오기 시작했다. 고개를 돌려 거실을 보니 아빠는 앉아서 TV를 보고 계셨고, 욕실에서는 동생이 샤워하는 물소리가 들려왔다. 나는 갑자기 혼자 기분이 팍 상해버렸다.

'왜 우리 가족은 각자 몫만 일하는 따로 플레이일까?'
'십시일반 손 모아 재빠르게 치우고 다 같이 쉴 수는 없나?'
'왜 매번 나만 이렇게 혼자서 뒷정리를 하는 거지?'

솟구치는 서운함을 참지 못한 나는 이내 두 사람을 향해 '왈왈' 해버렸다. 수건으로 머리를 털며 나오던 동생이 당황하며 그릇 헹구는 것을 거들었고, 아빠는 빗자루를 들고 집안 이곳저곳을 어색하게 쓸기 시작하셨다. 아빠와 나 사이에는 미리 제사 준비를 하는 사람과 뒷정리를 하는 사람 중 누가 더 수고가 많은가를 따지는 듯한 대화가 오갔고, 불편한 공기가 집안을 가득 메우고 있었다. 우리의 날 선 대화는 "내 생일날 안마 의자 주문했다는 거 고마 취소해라!!"는 아빠의 멘트와 함께 끝이 났다. 나는 더 나가면 안 되겠다 싶어 잠시 편의점으로 도망을 다녀왔다. 속상했다.

다음 날 아침이 되어 아무 일도 없었던 듯 가족들과 함께 아침을 먹은 나는 아빠와 동생이 안 먹고 버리겠다 싶은 제사 음식들을 양손 무겁게 싸 들고 집을 나섰다. 늘 그래왔듯 동생이 기차역까지 차로 바래다주었는데, 가면서 이런저런 이야기를 나누던 끝에 동생이 나의 대화 에티켓에 대한 불만을 이야기했다. 기차역까지 가는 짧은 시간 안에 정리해둔 것 등 당부하고 설명할 것이 많아 내 마음이 조급했던 모양이다. 말하는 중에 생각하는 텀 까지 포함해 느긋하게 상대의 말을 다 들어주는 대화를 원하는 동생이 중요하게 생각하는 포인트와 나의 포인트가 다르구나 싶기도 하고, 이 녀석이 뭔가 탐탁지 않은 마음을 이렇게 내보이나 싶기도 했다. 예전 같았으면 시시비비를 따지고 분위기가 싸늘해졌을 텐데, 나는 잠시 생각한 다음 동생에게 그런 마음을 말로 표현해주니 좋다고 말했다. 너와 나의 대화방식의 차이인데 네가 그런 부분에 예민함을 오늘 알았으니 다음엔 내가 좀 더 신경 써보겠다 쯤으로 마무리를 했다. (많이 컸다. 이화랑!) 실은 내려가기 전에 새해를 맞아 동생에게 고마운 마음을 담아 편지와 함께 용돈을 조금 준비했었는데, 동생 차의 대시보드에 그것을 숨겨두고 내리는 상황에서 다투고 싶지 않은 마음이 컸다. 그리고 나는 누나이며, 이면도 잘 헤아릴 수 있는 사람이 되고자 노력하는 중이니까 잘했다, 잘했다, 스스로 토닥여 보면서도 한편으론 마음이 씁쓸했다. 기차를 타고 오는 내내 이틀간 있었던 일들이 자꾸 떠올라서 괜히 서러워졌다. 그러려고 내려간 것이 아닌데, 나는 나대로 늘 한다고 하면서도 돌아오는 것은 주로 서운함이었다. 제목을 붙일 수 없는 눈물이 두 볼을 타고 줄줄 흘렀다. 우는 게 티 날까 봐 창피해서 차창 밖을 보는 척하며 나는 몰래 소리 없이 울었다.

대전역에 내렸다. 내려갈 때 들렀던 성심당에 다시 들렀다. 제사음식을 바리바리 싸 와서 더 들 손도 없으면서 제일 맛있어 보이는 빵 하나를 골라 집었다. 늘 내려갈 때 가족들 먹을 빵만 샀었는데, 오늘은 나도 한 번 먹어보자! 성심당! 속상한 마음을 어디 하소연하기도 내키질 않고, 위로가 필요한 순간, '너 맘 안 좋았겠다, 서운했지?' 하고 알아줄 사람도 퍼뜩 떠오르지 않으니 나라도 나 자신을 챙겨야지 싶었다. 택시를 탔는데 일흔다섯 백발의 기사님이 "예쁜 아가씨가 타주시니 감사하고 행복합니다." 하셨다. 오늘 처음 만난 택시 기사님도 하실 줄 아는 이 말을 아빠나 동생에게 듣고 싶었나 보다. 집에 돌아오니 몹시 허기가 져서 대전역에서 산 빵을 한 조각 베어 물고는 또 울었다. 갑자기 엄마가 보고 싶어졌다.

그날 저녁 글쓰기 모임에서 아빠 같은 버디 코치님과 대화하며 응어리를 풀었다. 들어주시는 것 만으로 한 김이 빠져서 잠시 물러나 나를 바라보게 된다. 그때 나는 무엇을 원했기에 그렇게 버럭 했을까 돌아보니, 나는 내가 하는 수고를 알아주고 옆에서 함께해주기를 원했음을 알았다. 일의 분담과 협업이 절실했던 것이 아니라 '누나가 도와주니 든든하고', '역시 딸이 오니 이렇게 다르네' 등의 말과 함께 옆에서 두 사람이 지켜봐 주기를 바란 것이었다. 아마 가장 깊은 곳에는 가족들에게서 나의 존재감을 확인하고 좋은 피드백을 받고 싶은 마음이 컸을 것이다. '고맙다. 덕분이다. 수고했다.' 나는 늘 하려고 노력하는데 가족은 안 따라주니… 코칭이야, 상담이야, 좋은 것들을 배워갈수록 내가 아는 '맞는 것'들과 '바라는 마음'은 늘어만 가는데 그런 내 속사정을 알 턱이 없는 가족들이 기대에 따라주질 못하니, 좋은 마음을 먹었다가도 이내 혼자서 탈이 나버리는 것이었다. 선을 넘은 것은 결국 나였다. 나는 상대가 바라지도 않는 온갖 친절을 베풀어놓고 결국엔 스스로 속상하기를 선택했던 것이다. 주고받을 때는 상처받거나 서운하지 않을 만큼의 선을 스스로 잘 지켜야 함을 이렇게 속상하며 또 배운다.

많이 주는 게 무조건 좋은 것은 아니다. 주는 행위는 사실 자기 자신이 기쁨을 얻기 위해서 하는 경우가 많다. 대가를 바라지 않고 준 경우라도 선물 받은 사람이 고마워하지 않거나 예상과 다른 반응을 보이면 원망스러운 마음이 들기 마련이다.

우리는 종종 지나치게 주려고 한다. 하지만 이런 행동은 사랑이나 우정을 얻기 위한 경우가 많다. 있는 그대로의 모습으로는 사랑받지 못할까 봐 두려운 마음에 '오버' 하는 것이다.

- 도미니크 로로, '심플하게 산다' 중에서-

나는 교사이자 코치이다. 코칭을 접한 지도 벌써 5년쯤 되어 가는데, 이상하게도 가족들에게는 코칭이 적용이 잘 안된다. 배웠다는 내가 던진 첫마디라는 것이 '아빠! 우리 가족은 왜!'였다는 사실에 나도 무척 놀랐다. 나중에 가족 갈등에 대한 자료를 찾아보고서야 코치 할아버지가 와도 가족끼리는 어려울 수밖에 없는 이유를 알게 되었다. 가족은 같은 유전자를 공유하는 사이라서 우리의 뇌는 가족을 타인이 아닌 자기 자신으로 인식하기 때문에 가족 간에는 서로 다른 생각이나 가치관을 인정하고 존중하는 것이 쉽지 않다고 한다. 나 자신에게 거는 기대나 기준을 가족들에게 똑같이 투영하게 되기 때문에 가족의 행동이 내 기준과 다르면 수용하지 못하고 화가 난다는 것이다. '아! 나는 아빠와 동생을 나처럼 생각하고 있구나! 나처럼 하기를 기대하고 있구나!'를 깨닫는 순간이다. 생각해 보면 20년을 넘게 떨어져 지낸 우리 사이는 타인과도 같으며, 어쩌면 직장에서 매일 보는 동료들보다도 먼 사이인데 말이다. 아직도 나는 인정하지 못하고 가족을 나와 같이 인식하며 열렬히 사랑하고 있던 것이다. 이제야 한 문장으로 정리가 되며 안개가 걷히고 있다.

'가족을 나처럼 사랑하되, 남처럼 대해야겠다!'

나에게 가족이란 '또 하나의 나'이자, '지금의 나를 비추어주는 거울'과도 같다. 엄마 제사 때는 이미 텄지만, 설날과 추석엔 또 달라질까? 기다려보기로 한다. 좀 더 성숙해진 내가 스스로 선을 잘 지킬 수 있을 때까지...

[글배웅] 설연휴에 다시 김해집을 찾았다. '이번엔 속상하고 서운하지 않을 만큼만 기여하고, 나머지는 두 사람의 몫으로 양보해야지!' 단단히 마음먹고 내려간 참이었다. 차례상을 물리고 정리를 하려던 참에 동생이 조용히 다가와 말했다. "누나, 설거지는 내가 하면 안 될까? 그래야 내 마음이 편할 것 같은데..." 엄마 제사 때처럼 앉아서 TV를 보고 계시는 아빠의 손에는 재기를 닦는 마른 행주가 들려 있었다. 닦는 시늉만 하셔도 그게 어디인가! 두 사람 나름의 방식으로 내 마음을 살펴주려고 하는 것이 느껴져서 고맙고 부끄러웠다. 이래서 내가 김해에 사는 속 깊은 두 남자를 사랑할 수밖에 없다.

아빠의 돌탑

엄마 보내고 _ 이화랑

저 멀리 들판에 길 잃은 노파가 보인다
하얗게 샌 머리, 주름져 무색한 표정
지팡이 기대 축 늘어져 바라보는 허공엔
잿빛 바람만 휘어엉 불고 있다

어떻게 해야 눈물이 났더라?
부지런히 울어야 흙이 될 텐데,
가물가물 우는 법도 다 까먹었다
힘껏 질러도 부딪혀 쇳소리만 날 뿐

가만히 보던 아이가 말했다
"그냥 엉엉 해보세요, 할머니!"
"여기 코도 흥 풀고요"
그제야 노파는 용기 내어
한참을 서럽게 엉엉 울었다

햇살 한 줌 토닥토닥
따스한 봄바람 쓰담쓰담
울다 지쳐 노곤하게 녹아내렸다

그리움 스며든 양지바른 그곳에
보고픈 마음들이 싹을 틔운다
파릇파릇 돋아난 엄마가 나보며 손 흔들 때
켜켜이 쌓여가는 또 다른 그리움
저만치 보인다 울아부지 돌탑

2020년 예순두 번째 맞는 해의 1월 2일 오전 8시 20분에 엄마가 세상을 졸업하셨다. 저녁을 먹고 갑자기 '아야!'하고 의식을 잃으신 지 21일 만이었다. 세상 다정하고 온화했던 보살 같은 분이라 존재감이 남달랐기에 갑작스럽게 엄마를 잃게 된 남은 가족들은 몇 년간 엄마 앓이를 톡톡히 했다. 일곱 고모 중 가장 각별했던 4번 고모는 너무 슬퍼서 몸무게가 10kg이나 줄었을 만큼 우리 가족은 물론 엄마를 사랑했던 모두에게 힘든 시간이었지만, 이제는 지난 이야기를 간단히 줄여서 말해도 아무렇지 않을 만큼 덤덤해지고 있다. 시간이 약이라는 말이 고맙다.

처음 엄마가 뇌출혈로 쓰러지셨다는 소식을 듣고 고향집에 내려갔을 때, 나는 당연히 깨어나실 줄 알았다. 7년 전에 내가 먼저 뇌출혈로 쓰러져봤기 때문에 엄마도 나처럼 아무렇지 않게 깨어나실 거라 믿고 싶었지만, 병원에 실려 가는 순간 의식이 없는 뇌출혈 환자는 예후가 좋지 않다는 것을 실은 누구보다 잘 알고 있는 나였다. 지금 생각해보면 받아들이기 힘든 현실 앞에서 나 자신을 지키기 위한 '부인'이라는 방어기제가 작동한 것이었고, 죽음이나 상실을 경험할 때 사람들이 가장 먼저 겪는 과정 역시 '부정'이라고 한다. 그렇게 엄마가 반드시 깨어나실 거라는 무한 긍정마인드로 동생과 내가 번갈아 가며 대전과 김해에서 울산대학교병원의 중환자실로 열심히 면회를 다닌 지 일주일쯤 되었을 때, 아빠는 조용히 지관을 불러 시골에 묫자리를 알아보셨다. 가뜩이나 이 모든 것이 엄마의 몸을 고되게 한 두 사람 때문이라고 원망하고 싶었던 나는 중장비를 불러 산소를 만드는데 열중하는 아빠가 밉고 야속하기만 했다. 그래서 한 번은 소리치고 울면서 따진 적이 있다. 그렇게 엄마를 빨리 보내버리고 싶냐고 말이다.

엄마의 생명 신호가 조금씩 꺼져가고 있던 그 무렵, 주치의 선생님은 어디까지 연명치료를 할 것인지 계속해서 물어보셨다. "나는 어느 정도 준비가 되었는데, 우리 아이들은 아직 받아들일 준비가 안 된 것 같아요."라고 아빠가 말씀하셨다. 대전으로 돌아와 속상한 마음을 털어놓으니 가만히 듣고 있던 선배 선생님이 그만 보내드리면 좋겠다는 이야기를 해주셨다. "소변줄 꽂고 종일 누워서 의지대로 보고 듣고 움직이지도 못하실 텐데, 만약 내가 자기 엄마라면, 나는 존엄하게 죽고 싶을 거 같아!" 그 말을 듣고 나니, 받아들이기 힘든 내 욕심에 엄마를 놓아드리지 못하고 있을 뿐, 정말로 엄마의 고충까지 헤아리고 있는 사람은 아빠임을 깨달았다. 더 크게 사랑하는 마음으로 가족묘를 만드는 아빠의 마음이 이해되면서도 인정하고 싶지 않아서 자꾸만 떼를 썼던, 다시 생각해도 참 아팠던 그때다. 어쨌든 아빠는 초인적인 사랑의 힘으로 보름 만에 가족묘를 만들어냈고, 시골 땅에서 가장 좋은 장소에 3대가 묻힐 수 있는 자리가 마련되었다. 그리고 이틀쯤 후, 엄마는 세상에서 가장 사랑했던 사람의 손을 잡고 조용히 눈을 감으셨다.

심박수 0점이 길게 이어지며 삐~~ 하고 울리는 기계 스위치를 끄고 사망 선고를 들었던 그 날, 나는 꿔다놓은 보릿자루 마냥 그 자리에서 멍하게 얼어버렸다. 대성통곡이라도 해야 맞는데 어떻게 반응을 해야 할지 몰라 당황스러웠다. 너무너무 사랑했던 엄마의 죽음 앞에 눈물이 나지 않는 것이 이상했다. 장례식장을 잡고, 부고를 전하고, 직장에 연락하고, 대전으로 와서 주섬주섬 옷가지를 챙겨서 김해로 내려가는 동안에도 눈물이 나지 않았다. 손님이 많아서 나흘간 장례를 지냈는데, 발인하는 날까지 나는 단 한 번도 소리 내어 울지 않았다. 아빠와 동생을 살피고 손님들을 잘 맞아 장례를 잘 마쳐야 한다는 책임감 때문이었을까, 아니면 엄마가 돌아가셨다는 실감이 나지 않아서 그랬을까... 드라마에서처럼 소리쳐 엄마를 부르며 통곡을 해도 모자랄 판에, 슬프지 않은 내가 이상해서 죄책감이 들 정도였다. 나는 정서가 메마른 사람인가? 내가 엄마를 그렇게 많이 사랑하지 않았던 건가? 문득 내가 알베르 까뮈의 소설 '이방인'에 나오는 주인공 같다는 생각이 스치며, 그렇게 나는 엄마의 졸업식을 얼얼하게 마쳤다. 그리고 장례 이후 대전으로 돌아온 다음부터는 슬퍼하지 않기 위해 그해 새로 맡은 학급의 제자들에게 에너지를 쏟기 시작했다. 그때의 나는 뭔가 몰두할 거리를 잔뜩 찾는 방법으로 슬픔을 외면했던 것 같다. 주말이면 어김없이 고향으로 내려가 엄마가 남기고 간 살림살이들을 정리하고, 아빠와 동생 걱정에 로봇청소기, 전기밥솥 따위의 가전을 수시로 사다 나르면서 두 사람이 끼니를 제때 못 챙기기라도 할까 봐 온갖 대비를 하는 데 열중했다. 평일 낮엔 학교일, 저녁엔 자기계발과 취미생활, 주말엔 다시 고향집... 잠시의 빈틈도 생기지 않게 빠듯한 날들을 보내다 보니 엄마 없다고 슬플 겨를이 없었다.

코로나19 팬데믹으로 인해 생겨난 '코로나 블루'라는 우울증 신조어가 언론에 자주 언급되던 즈음, 사회적 거리 두기로 인해 취미생활이나 외부 교육수강이 완전히 중단되면서 저녁에도 주말에도 나 혼자 집에서 견뎌야 하는 시간이 늘어나게 되었다. 공교롭게도 그 무렵에 오래 만났던 연인과도 헤어졌다. 한 놈씩만 나를 패면 좋으련만, 갑자기 상실에 또 상실을 겪으며 온몸으로 우울함을 느꼈던 나에게는 '무엇 때문에 살아가야 하나?'까지를 깊이 고민하는 시기가 찾아왔다. 삶의 위안이라고는 편의점에서 4캔에 만 원 하던 맥주뿐이었는데, 어느 날 우리 집 냉장고에 붙어 있던 '당신은 어떤 사람이 되어가고 있나요?'라는 질문을 보며 '요즘 술주정뱅이가 되어가고 있어요'라고 대답하고 있는 나 자신을 발견했다. 조금씩 살이 붓기 시작해서 체중이 점점 늘어났다. 무기력과 불면, 체중 변화 등... 지금 생각해보면 전형적인 우울증의 초기 증상들이었다.

그렇게 덤덤한 날들을 보내다 어느덧 5월이 되었다. 어버이날 즈음, 동료 선생님 한 분이 아들이 꽃다발을 사주더라며 단톡방에 사진을 자랑하셨다. 평소 같았으면 '우와! 좋으시겠어요!' 하며 축하해드렸을 것인데, 퇴근해 집으로 가는 중에 무슨 영문인지 미친 듯이 눈물이 쏟아지기 시작했다. 이제는 어버이날 챙겨 드릴 엄마가 세상에 없음이 여실히 느껴져 버린 것이다. 그동안 꾹꾹 눌러왔던 온갖 슬픔이 한꺼번에 밀려왔다. 아마도 그날, 장례 때 울지 못했던 몫까지 밤새 목놓아 울었을 것이다. 이후로도 한 1년 정도는 그때처럼 갑자기 슬픔이 터져버리는 일이 종종 생겼고, 제대로 슬퍼하고 제때 울지 못해 곪았던 상처의 휴유증이 꽤 오랫동안 나를 따라다녔다. 그때서부터라도 울게 된 것이 참 다행이다.

　내가 엄마를 잃은 상실감을 억누르고 외면하면서 남 위하는 일에 온통 몰두하며 지냈던 동안, 아빠는 엄마를 그리워하고 생각하며 배가 고프지 않으면 않은 대로, 잠이 오지 않으면 않는 대로 슬픔을 온전히 느끼셨다. 엄마에게 바치는 사진집과 예술의 전당 전시회를 준비하는 나머지 시간은 틈날 때마다 산소에 올라 온종일 돌로 탑을 쌓으셨다. 고라니, 토끼 친구들이 엄마 만나러 올 때 목축이고 가라고 작은 옹달샘도 파두셨다. 엄마 산소에 가면 내 가슴 높이쯤 쌓다 만 아빠의 돌탑이 있다. 가끔 들릴 때면 차곡차곡 쌓여있는 아빠의 애도 꾸러미들을 물끄러미 바라보게 된다. 한참을 올라야만 닿는 산 중에서 어떻게 저 많은 돌을 구해오셨을까? 아마도 아빠는 저만큼이나 엄마가 보고 싶었나 보다. 저만큼 엄마가 그리우셨나 보다.

　나만 슬프고 우울하다고 생각했던 힘들었던 시간 동안 아빠는 아빠대로, 동생은 동생대로 각자 큰 슬픔을 이겨내고 있었음을 이제는 알겠다. 너무너무 힘들었지만 지금 이렇게 평온하게 엄마를 그리워할 수 있게 되기 위해 꼭 필요한 그때였다. 한 가지 후회되는 것은, 그때 그냥 목놓아 울어버렸어도 좋았겠다는 것이다. 슬프면 슬픈 대로 넋 놓고 있었어도 충분히 괜찮았을 것을, 차라리 울고불고했더라면 그간 우울하고 어두웠던 나의 동굴탐험기가 조금 더 빨리 끝나지 않았을까 하는 후회가 된다. 내가 마음껏 울고 나서 기진맥진해있더라도 주변의 좋은 사람들이 충분히 힘을 보태어 주었을 텐데, 왜 그렇게 감정을 억누르며 혼자서 아등바등했었는지 모르겠다.

총량의 법칙처럼, 충분히 슬퍼하고 나야만 그다음도 있다는 것을 나는 아주 오랜 기간에 걸쳐 외롭게 배웠다. 그때의 나를 생각하면 그저 측은하고 애처롭다. 그래서 만약 누군가 상실을 경험하거나 슬퍼하는 사람이 있다면, 가깝지도 멀지도 않은 거리를 두고 그저 조용히 같이 앉아 있어 주고 싶다. 한참 동안 말없이 함께 숨 쉬다가 그 사람이 안심하고 슬퍼할 준비가 되면 소리 내어 울 수 있게 용기를 불어넣어 주고 싶다. 토닥토닥... 다른 건 신경 쓰지 말라고, 그냥 마음껏 슬퍼해도 괜찮다고, 안심하고 울어도 된다고, 충분히 슬퍼하고 나야 그리움도 추억도 되는 법이라고 말이다.

바람이 분다 살아야겠다

흔들리는 2월

　나는 장애 학생들을 가르치고 있다. 조금 더 구체적으로 말하자면 대학교 조교부터 시작해 16년째 계약직으로 일하고 있는 기간제 특수교사다. 늘 소풍 가듯 룰루랄라 출근해서 가르치는 아이들에게 오히려 사랑을 듬뿍 받고, 그저 내가 좋아서 온갖 오지랖을 발동해가며 몸과 마음을 탈탈 털어 가르치는 교직이 천직이자 교육이 '덕질'인 나이지만, 매년 2월이면 피할 수 없는 관문을 만나게 된다. '채용 공고'... 올해는 결원이 얼마나 생기려나 눈치를 살피고, 온갖 네트워크를 총동원하여 사전 정보를 수집한다. 그간의 경력을 정리하여 매년 자기소개서를 쓰고, 면접에 나올법한 예상질문을 뽑아 어떻게 답변을 할 것인지 고심도 해본다. 경력증명서를 다시 일일이 발급받으며 계약 때마다 채용신체검사를 해야 하는 번거로움이 있지만, 그 덕분에 걱정 없이 먹고 살며 울 아버지 맛난 것도 종종 사서 보내드릴 여유가 생긴다. 배우고 싶은 교육을 원 없이 신청하고 책도 그때그때 맘 편히 살 수 있고, 지난해엔 드디어 집도 장만했다. 1년에 한 번씩 교사로서 직업적 정체성과 마음가짐을 재정비할 수 있다는 것도 장점이다. 그러나 아이들을 잘 가르치는 것과는 별개로 여러 측면에서 검증을 거쳐야만 또 1년을 살아남을 수 있다는 것은 조금 서글픈 일이기도 하다. 근무 중인 특수학교의 모집 정원이 줄어든 해에는 함께 일하던 기간제 선생님들과 경쟁할 수 밖에 없는 상황이 생기는데, 예민한 채용 시즌에 관리자분들과 복도에서 스치기라도 하게 될 때면 서로 간에 설명할 수 없는 어색한 분위기 속에 인사 한번 하는 것이 괜히 조심스럽다. 누군가는 '이 또한 지나가리라' 했다지만 어떤 사람들에겐 결코 쉽게 지나가 지지만은 않는 흔들리는 달이 바로 2월이다.

곡직향전 (曲直向前)

"누나! 저 OO학교 면접 합격했어요!" 조카 셋을 혼자 키우는 삼촌이자 대학원에서 박사과정까지 병행해가며 열심히 사는 옛 동료가 말했다. 며칠 전에 내가 채용 정보를 조금 알아봐 주었는데 전화로 합격 소식을 알려온 것이다. 나는 온 마음을 다해 축하와 응원을 해주었다. 그리고 OO학교의 면접 소스를 알아봐 주었던 선생님이 있어서 그녀에게도 고마운 마음을 전하려고 연락을 했는데, 안타깝게도 자기는 아직 채용을 알아보는 중이라고 했다. 각자 살길이 빠듯한 와중에도 다른 사람의 위기를 외면하지 않고 잘 도와준 그 선생님에게도 좋은 일만 가득하기를 진심으로 바라며, 오늘도 어딘가에서 치열하게 살아가고 있을 기간제 선생님들을 열렬히 응원해주고 싶다.

서른 즈음의 나에게는 계약직으로 일하는 것에 대한 자격지심이나 열등감 같은 것이 있었다. 취미 동호회에서 만난 누군가가 나의 직업을 물어보면 나는 그냥 '회사 다녀요' 쯤 대답하고 재빨리 넘어가곤 했다. 물론 나는 장애가 있는 아이들을 가르치는 일에 진심이었고 특수교사가 된 것을 단 하루도 후회해 본 적 없지만, 안정적이지 못한 비정규직 타이틀이 자랑스럽지는 않았다. 15년 전쯤엔 교사라는 직업에 대한 남자들의 환상도 좀 있었는데, 내가 교사임을 밝히면 또래의 미혼남들이 갑자기 '투 머치' 관심을 보이게 되는 부담스러운 일이 생기곤 했다. 왠지 내가 정규직이 아님을 정확히 밝혀야만 할 것 같은 쓸데없이 정직한 신념과 굳이 또 내가 기간제라고 설명하기도 구차하다 싶은 마음이 마구 갈등하던 시절이었기에 직업을 물어보는 질문에 답을 하는 것이 내게는 썩 유쾌하지 않은 기억으로 남아있다.

매년 메뚜기처럼 이 학교, 저 학교 옮겨 다니며 검증을 받는 내가 안타까웠는지 주변에서는 차라리 임용을 보지 그러냐는 조언도 많이 했다. 그렇지만 나는 가르치는 일을 사랑하면서도 때때로 자유롭고 싶은 사람이었다. 일하고 싶을 때 일하고 잠시 떠나고 싶을 때는 이력서 넣는 일을 멈추기만 하면 되었기 때문에 몇 달간 원 없이 다른 나라의 바다를 탐험하며 살아볼 수도 있었고, 교사 말고 또 다른 일은 뭘 할 수 있을까 싶어 옷 장사도 해보았다. 한일 년쯤 방황한다 한들 틈틈이 학교마다 빈자리는 생길 테니 역마살이 제대로 끼었던 그 시절엔 나에게 이만한 직업이 없다 싶었다. 그러나 분명 내가 원해서 선택한 자유로운 삶이었음에도 불구하고 나는 내가 뭔가 떳떳하지 못한 사람인 것만 같은 기분을 좀처럼 떨쳐버릴 수 없었다. 지금 생각하면 왜 그랬나 싶다. 요즘은 큰 기업들도 언제 갑자기 문을 닫을지 모르고 출산 후 경력이 단절된 전문직 여성들도 수두룩하다. 적성을 찾아 중간에 커리어를 전향하는 사람이나 뜻 있는 조기 은퇴자 사례도 굉장히 흔한 편이라 '평생직장'이라는 말이 오히려 어색할 정도다. 그때의 나는 무엇 때문에 사서 나를 부끄러워했던 걸까? 아마도 '교사란 임용고시를 본 사람만이 찐이야!'라는 타인의 시선을 의식한 당위성 명제가 내 안에도 있었던 것 같다. 얼마나 창의적으로 열심히 가르치는 교사인지 스스로 잘 알면서도 말이다.

늘 뭔가 부족하고 채워지지 않는 듯한 기분은 나를 더 열심히 일하고 연구하고 공부하게 해주었다. '열등감'의 또 다른 이름은 '원동력'이며, 약간의 불안이 뇌를 더욱 활성화한다고 했던가. 논문을 쓰고, 코치가 되고, 심리학을 다시 전공하게 된 것은 모두 그 덕분이다. 지난해엔 임상심리사 2급 실기시험에 동차 합격했고, 드디어 KPC 관문도 통과했다. 굳이 시험을 보고 졸업하면 되는 교육대학원을 3년이나 다녀가며 동기 중 유일하게 나만 케이스 연구를 해서 논문을 썼고, 꼬리에 꼬리를 무는 의문들은 자꾸만 뭔가를 찾고 배우게 만들어 주었다. 그리고 때때로 스스로를 되돌아보며 삶의 방향을 재정비하는 감사한 시간들 덕분에 지금의 내가 있게 되었다. 구불구불 돌고 돌아 이제는 장애 학생들을 가르치고 그들의 가정을 돕는 일이 적성에 가장 잘 맞는 일임을 확신하게 되었으며, 새로운 방향과 구체적인 목표들도 생겨서 하루하루를 충실, 충만하게 살고자 노력하고 있다. 그동안 내가 정년이 보장된 정규직의 삶을 살았더라면 과연 이렇게까지 다양한 경험을 하며 자기계발에 진심인 삶을 살 수 있었을까? 그래서 나는 적당한 흔들림으로 원동력이 되어준 지금 나의 일을 사랑한다.

곡직향전(曲直向前)! 대만 '불광산사'의 고스님께서 뱀의 해에 남겨주신 지혜가 담긴 말씀이다. 뱀이 기어가는 형상을 보면 구불구불 사선으로 가는 것 같지만 저 딴에는 앞을 향해 열심히 정진하고 있다는 의미인데, 굽이친 길, 곧장 가는 길, 쉬운 길, 어려운 길, 그 어떤 방향, 방식으로 가든 간에 저마다는 정진하고 있다는 뜻으로 나는 이해했다. 그래 맞다. 우리 모두는 과정 중에 있다. 모두가 다 옳다. 흔들리는 순간을 사는 많은 사람들에게 지금도 충분히 잘하고 있으니 스스로 의심하지 말고 작아지지도 말고, 그냥 마음 가는 대로 당당하고 재미나게 살아보라고 말해주고 싶다.

'곡직향전! 잘하고 있어! 너의 길을 응원할게!'

최선을 다한 사람은 후회하지 않는다

봄방학을 맞아 온라인 장바구니에 잔뜩 담아두었던 식물들을 주문했는데 드디어 택배가 도착했다. 집에 있던 화분들과 요리조리 배치하고, 뜯고, 흙을 갈아엎어 가며 나는 아주 열심히 화초들을 귀찮게 하고 있었다. 갑자기 전화벨이 울렸다. "선생님, 저에요! 잘 지내세요?" 울리는 일이 꽤 정해져 있는 편인 내 핸드폰이 며칠째 열 일을 하고 있다. 나와 같은 숙제를 안고 있는 이들에게서 부지런히 연락이 오기 때문이다. 대부분 오랜만이라는 안부 인사로 시작해 올해는 어느 학교에 원서를 쓰고 면접 예상 질문은 무엇인지 등등 결국은 채용에 관련된 정보를 나눈 다음 서로 응원으로 끝나는 통화다. 평소 연락도 없다가 1~2월만 되면 어김없이 연락이 오는 것이 얌체 같다는 생각도 더러 했었지만, 이제는 그러려니 하며 그냥 받는다. 저이도 얼마나 걱정스러우면 나를 찾을까 싶기도 하고, 다행히 대화할 시간과 마음의 여유가 내게 있기 때문이다. 고민이 되는 순간 나를 떠올리고 찾아주는 이가 있다는 것이 얼마나 감사한 일인가. 내가 코칭을 하는 이유 중 하나이기도 하다. 그렇게 전화 온 선생님과는 며칠 전 면접 때 어떤 대답을 했느냐, 결과는 나왔느냐 등등의 소식을 나누었고, 올해 나는 '예비 1번'으로 일단 떨어졌다는 결과를 전했다. 누구보다 열심히 하는 교사임을 아는데 내가 안 되었으면 대체 누가 채용된 거냐며 그녀는 무척 의아해했다.

실은 작년 11월에 우리 반 자폐 학생 하나가 잠시 교출을 했다. 그리고 학기를 마무리하는 날에는 예상도 못 했던 또 다른 녀석이 통학버스를 타지 않고 교문을 뛰쳐나가는 일이 생겨 학교가 발칵 뒤집혔다. 왜? 어쩌다가? 뭐 때문에? 누가? 등등.. 온갖 '때문에'를 외치고 싶은 속상한 타이밍도 있었지만, 학급에서 발생한 일은 그 어떤 상황이건 '기-승-전-담임 책임'이다. 상세한 경위를 상황보고서에 작성하더라도 결국엔 담임인 내가 학생을 잃어버릴 뻔했던 사건으로 요약되고 기억될 것이다. 장애 학생들을 가르치는 일이란 온갖 변수와 위험 상황이 늘 잠재되어 있어 한 치 앞을 예측할 수가 없다. 그런 점을 누구보다 잘 알고 있기에 부드러운 웃음 뒤에 늘 기민하게 더듬이를 곤두세워가며 일해온 나였건만, 2년째 연임하고 있는 녀석들이 처음 벌인 일탈 앞에 나는 당황을 넘어 꽤나 충격을 받았다. 어제처럼, 그제처럼, 늘 그랬듯 한결같이 최선을 다했음에도 무슨 도깨비 장난이라도 치듯 삽시간에 사건이 발생해버리니, '일이 일어나려고 하면 이렇게까지도 되는구나!'를 배우며 호되게 마음고생을 한 시간이었다. 교사로서 속상하고 놀란 마음도 가족들의 마음에는 비할 수가 없음을 알기에 그들의 원망과 질문을 한 달쯤 들어내면서도, 동시에 내가 왜 이 일을 하고 있는가 싶은 번 아웃이 제대로 한 번 찾아왔다. 든든한 지원군들과 유지해왔던 좋은 협력 관계가 한순간 민원인과 서비스제공자 쯤으로 변질되는 느낌을 받으며, 나는 그간 꿈꾸어 왔던 직업적 소명과 정체성이 마구 흔들리는 시기를 겪었다. 그리고 간신히 추스르고 일어설 무렵 또 다른 아이가 도망을 친 것이다. 교감선생님은 내게 선생님 잘못이 아니며 그 누구에게나 일어날 수 있는 일이니 기운 내라며 응원을 해주셨지만, 16년 만에 처음 겪는 위기 앞에 나는 제대로 뿌리가 흔들리고 있었다. 뿌리를 다듬고 흙을 갈아엎어야 할 타이밍인가? 올해는 좀 쉬면서 공부하라는 뜻일까? 등 별의별 생각을 다 하며, 나는 이번엔 채용이 안 될 수도 있겠다 싶어 내심 마음의 준비를 하고 있었다. 분갈이하자, 뿌리를 다듬자, 속상한 마음을 다스리려고 엄한 화초 뿌리들만 잔뜩 쥐어뜯으면서 말이다.

며칠 뒤 학교에 정원 외 결원이 생겼으니 서류를 한 번 넣어보라는 동료 선생님의 연락을 받았다. 괜히 죄인이 된 듯 한없이 작아진 나는 원서를 넣기가 망설여졌다. 그러다 문득 요즘 읽고 있는 책에서 인상 깊었던 구절과 엊그제 스님과 통화하면서 들었던 말씀이 떠올라서 여러 번 노트에 옮겨 써보았다.

삶은 곧 질문이고,
그것을 살아내는 방식이 곧 우리의 해답이다.
지금 당장 할 수 있는 단 하나의 일은 무엇인가?
- The one thing, 게리 캘러-

내 삶의 리듬은 내가 만들어간다.
- 진봉스님(홍천 가상사)-

원망은 아무런 도움이 되지 않고, 하고 나면 내 마음만 더 불편해질 뿐이다. 자책은 그쯤하고 교훈을 깊이 새기되, 다음 스텝을 내딛는 것이 현명하겠다는 생각이 들었다. 지난해 떨어진 전문상담 대학원 시험과 함께 몇 가지 자격증을 준비하면서 코칭도 하고, 스스로를 좀 되돌아보며 정비를 하고 싶어졌다. 그러나 또 한편으로는 '내가 지금 겁이 나서 도망을 치나?' 하는 생각에 왠지 마음 한 구석이 편치 않았다. 어떻게 해야 후회가 남지 않을까? 어떤 선택을 해야 일 년쯤 뒤에 후회를 덜 하게 될까? 내 마음은 이미 몇 달 쉬며 공부하는 쪽으로 기울고 있었지만 주어진 기회를 애써 외면하지는 말자며 결국 용기를 내보기로 했다. 그리고 접수 마지막 날에 다시 채용서류를 냈다. 붙고 안 붙고는 평가자들의 몫일 뿐, 내가 생각할 몫이 아니다. 그들은 그들의 일을 하고, 나는 할 수 있는 때에 내가 할 수 있는 일을 할 뿐이다. 그래야 나중에 미련과 후회가 없을 것이다. 그쯤 정리를 하고 나니 비로소 마음이 고요해졌다. 그제서야 쥐어뜯던 화초 뿌리들을 가지런히 돌려 담아 정리하며 분갈이를 마칠 수 있게 되었다.

이후 나는 1차 서류전형을 통과해 2차 면접을 보았다. 잘해서 붙어야지 하는 마음보다는 모두를 걱정시킨 것에 대한 죄송함을 전하고, 두 사건으로 인해 내가 배운 점과 앞으로의 다짐을 밝혀서 후회를 남기고 싶지 않은 마음이 더 컸다. 면접 마무리에 자유롭게 하고 싶은 말을 할 시간이 주어졌다. "아이들 가르치고 맡은 업무에 임하는 태도는 언제나와 같습니다. 하지만 올해 좀 더 신경 써

보고 싶은 저의 화두는 '안전'입니다." 라는 말을 하는데 갑자기 뜨거운 눈물 한 줄이 주주룩 흘렀다. 입술에 힘을 꽉 주고 겨우 참으며 인사를 하고 나왔는데 티가 다 났던 모양이다. 후에 듣기로 그 자리에 있던 교감선생님이 내가 나간 뒤에 마음이 짠해서 잠시 글썽이셨다고 한다. 그분의 마음 쓰심과 응원에 깊이 감사드린다. 어쨌거나 나는 후련하게, 정말 후회 없이 면접을 보았다. 덕분에 그날 저녁은 오랜만에 만난 친구와 마음 편히 삼겹살을 구워 먹으며 신나게 파티를 했다. 바라는 마음을 내려놓고 내 앞에 주어진 내가 할 수 있는 일을 우직하게 하는 것이 최선이며, 최선을 다한 사람에게는 후회가 남지 않는다는 것을 또 한 번 진하게 깨달은 날이었다.

바람이 분다 살아야겠다

대학 때 부산의 가마골 소극장 27기 워크샵을 들으며 공연을 한 적이 있다. 마지막 공연을 마치고 뒤풀이를 했었는데 함께 공연했던 언니가 소주 한잔 손에 들고 읊어주던 시의 한 소절을 두고 두고 잊을 수가 없다. '바람이 분다. 살아야겠다.' 프랑스 시인 폴 발레리(1920)가 발표한 시에 나오는 구절이다. 찾아보니 몇몇 시인들이 시에 재인용하기도 했었고, 가수 이선희씨의 노래 중에도 그런 제목이 있었다.

<bangram이 분다. 살아야겠다. / 1990, 이선희>

〈바람이 분다. 살아야겠다. / 1990, 이선희〉

누군가가 이렇게 말했다.
바람이 분다. 살아야겠다.
오늘 아침 창문을 여니
멀리 잿빛 도시 위로
하나 가득 몰려든 비바람.
문을 닫고 돌아와
따뜻한 난로 옆에 앉는다.
...
아, 나의 앞에는
얼마나 거친 시간들이
준비되어 있는 것일까.
누군가가 말했듯이,
바람이 분다. 살아야겠다.

살면서 내가 마구 흔들리는 순간을 만나게 될 때면 나는 이 말을 주문처럼 읊고 쓰면서 용기를 얻곤 했다. '불안은 내가 살아 있음을 느끼게 한다.', '바람이 분다. 살아야겠다!' 드문드문 자꾸만 이런 말들이 생각나는 요즘이다. 아무튼 올해 채용 면접에서 나는 패자부활전에 또 부활전을 거친 끝에 전공과에서 농생명을 가르치는 교사로 최종 합격을 했다. 올해도 꾸준히 일할 수 있다는 것이 정말 감사했지만, 내가 경험이 없는 농생명 교과를 갑자기 배정받게 되어 당황스럽고 심난한 며칠을 보냈다. 그러다 코칭을 받으면서 속상함을 다독였고, 마음을 다잡고자 지금 이렇게 글로 정리하는 작업을 꼬박 열두 시간째 하고 있다. 담임을 맡지 못해 아쉽지만 잠시 재정비할 기회가 주어졌음에 감사하며 내 앞에 주어진 길을 묵묵히 또 가보기로 한다. 새로운 발견이 있을 것이다. 덕분에 즐겁게 일하면서 올여름엔 울 아버지 에어컨도 바꿔드릴 수 있겠다. 임상심리수련 두 번째 과정도 신청할 수 있겠네. 학생들에게는 아르바이트 제도와 칭찬마트를 수업에 적용해 봐야지. 농업 시간에 한 일에 대한 시급을 모형 화폐로 주고, 쉬는 시간에 음료나 간식을 살 수 있도록 수업을 운영하면 아이들이 일하는 보람과 즐거움을 배우고 자기 용돈도 관리해볼 수 있겠지. 앞으로 직업 생활에 대한 동기와 의욕이 높아지도록 가르쳐야겠다. 배를 만들기 전에 '바다'를 먼저 꿈꾸게 하는 선생이 되어야겠다. 다육식물, 잎채소, 뿌리채소... 아이들과 뭘 좀 심어볼까? 째깍째깍 내 머릿속이 바빠지는 소리가 들린다.

10년쯤 후의 나의 목표는 '발달장애가족 심리코칭센터'를 개원하는 것이다. 학교에는 이미 훌륭한 선생님들이 많고, 아이들은 사랑으로 지켜봐 주면 알아서 쑥쑥 자라기 마련이다. 우리나라 학령기 특수교육의 전반적인 교육수준도 매우 훌륭해졌다. 하지만 학령기 이후의 성인 장애인들을 대상으로 한 '의미 있는 낮 생활' 지원과 평생교육은 턱없이 부족한 실정이다. 이제는 성인이 된 많은 수의 중증장애 제자들이 집에서 핸드폰만 붙잡고 심심한 시간을 보내는 경우가 많고, 그들의 부모는 자식보다 하루만 더 사는 것이 소원이다. 비장애 형제들은 마음속 깊은 곳에 상처를 접어두고 양보가 몸에 배어버린 듯한 삶을 살고 있다. 보듬어 주고 싶고, 공부해서 도움이 되어주고 싶다. 그래서인지 언젠가부터 나는 장애인과 그 가족들을 대상으로 한 코칭과 상담, 전생애 주기를 위한 교육, 사회적 기업 등을 아우르는 토탈케어센터를 꿈꾸게 되었다. 발달장애인 가족을 위한 주말농장 텃밭 대여도 생각하고 있는데, 그런 면에서 생각해보면 올해의 포지션은 새로운 배움과 관점의 확장이라는 면에서 절호의 찬스이자 선물이라는 생각이 든다.

익숙지 않은 교과의 배정과 갑작스러운 변화의 바람에 요 며칠 가지가 살랑살랑 흔들리기도 했지만, 모든 불편함의 이면에는 새로운 발견과 감사함이 있기 마련임을 잊지 말아야겠다. 언제나 나의 삶에는 크고 작은 역경들이 있었고, 변화는 나를 늘 성장하게 했으며, 그 덕분에 지금의 단단한 내가 되지 않았는가! 언젠가는 싱긋 웃으며 말할 수 있는 추억으로, 그리고 좋은 자원으로 기억될 올해 나의 다이나믹했던 2월을 글로 남기며, 다시 한번 주문을 외워본다. '바람이 분다! 살아야겠다!' 습관처럼 그냥 중얼거렸을 뿐인데 오늘따라 괜히 설렌다.

판도라의 상자

새해의 비장한 각오 대신, 나는 소박하게 '1일 1버림'을 실천하기로 했다. 은근히 '저장 강박'이 있어서 나도 모르는 자질구레한 것들이 집에 너무 많았다. 재활용품이라도 몇 개 버리게 된다면 '귀찮은 내가 드디어 문밖을 나서게 될 테지' 내심 기대하는 마음도 있었다. 약간의 동기부여를 위해 북코칭 모임에 들었다. '도미니크 로로'의 '심플하게 산다'를 함께 읽으며 비움과 깨달음을 매일 인증하고 있는데, 하다 보니 재미가 붙어서 1일 1버림을 넘어 2~30버림은 거뜬히 실천해내고 있는 것이 신기하다. 심플하게 살고자 매일 조금씩 후련하게 비워내고 당근 마켓에 파는 재미까지 쏠쏠하게 느끼면서, 우리 집 물건들이 제법 자리를 찾아가고 있다. 문을 열면 텅 빈 수납장도 생겼다. 예전 같았으면 '뭘 좀 더 채워 넣을까?' 생각했을 텐데, 깨끗이 비어있는 수납장 한 칸을 바라보는 것만으로도 기분이 그렇게 상쾌할 수가 없었다.

너 좀 멋지다며 스스로 뿌듯해할 즈음, 드디어 난이도 있는 작업과 마주하게 되었다. 쓰지도 버리지도 못할 거면서 이사할 때 겨우 추려서 데려온 녀석들, 스키 장비, 스쿠버 장비, '너는 최고야!', '힘내!' 응원 문구가 잔뜩 쓰여있는 경기용 빕(BIB), 그리고 추억들을 모아놓은 상자 하나가 눈에 들어왔다. 열면 왠지 일이 커질 것만 같은 판도라의 상자였다.

　　잠시 멈칫했던 나는 다시 숨을 한 번 크게 쉰 다음, 지나간 내 정체성들을 식탁 위에 쏟아놓기 시작했다. 절절하게 사랑했던 사람의 편지, 난생처음으로 만기까지 부어본 적금통장, 언니들의 텃세를 견뎌가며 복수전공을 했던 무용과 졸작 공연과 서툰 사람들의 '유화이'로 살았던 시절의 영상, 외국에서 산 저마다 사연이 담긴 물건들, 학부모님의 마음이 고스란히 느껴지는 메모들, 사랑하는 제자들과의 추억이 담긴 폴라로이드 사진들... 온갖 자질구레한 옛날 것들이 잔뜩 들어있었다. '그래! 한때 나는 이런 사람이었지!' 그동안 내가 어떻게 살아왔는지를 말해주는 오래된 것들이 그렁그렁한 눈으로 나를 바라보고 있는 것만 같았다. 도저히 정리할 엄두가 나질 않아서 한참을 '보다, 말다, 보다, 말다'했다. 나의 옛날을 들여다보는데 반나절이 쏘옥 빨려 들어가고 있었다.

상자에서 꺼낸 사진을 정리하다 보니, 국립극장에서 故오수복 선생님과 태평무 공연을 하며 찍었던 사진이 보였다. 연극과 무용을 복수 전공할 때 나는 정말 치열하게 살았다. 아무개의 편지도 있었다. 연애도 참 요란하게 했었지. 만나던 사람과 헤어지기라도 하면 이별을 극복하기 위해 그 남자가 잘하는 어떤 분야에 도전해 스스로 납득할 만한 방점을 찍어야만 비로소 그 남자를 잊을 수 있던 나였다. 인라인을 좀 탔고, 웬만한 남자들은 수영으로 거뜬히 제쳤으며, 몇천 명 동호회의 운영진일 때도 있었다. 스키는 레벨2, 스쿠버다이빙은 마스터, 탱고도 하고 살사도 하고, 겁 없이 대출을 땡겨 혼자 필리핀에서 밥 먹고 바다만 바라보며 살아보기도 했던 그 여자를 운동하는 동생들은 '화랑이 형!'이라고 불렀다.

남들이 가지 말라는 길만 구태여 찾아 다녀가며 구부정하게 둘러 가는 삶을 살았던 그 시절을 떠올려보면, 아슬아슬 위태롭고 오만했던 내가 보인다. 끝없는 성취와 레벨 업을 꿈꾸며 다른 사람의 시선을 한껏 의식하며 살았다. 스스로 한껏 취해 먹고 사는 것과는 아무런 상관도 없는 주관적 목표들을 클리어, 또 클리어해가며 뭔가를 계속해서 증명해 보이고 싶어 했던 여자! 그것들이 나라는 사람을 대변해주기라도 하는 양 무엇을 향해 가고 있는지도 모른 채 열심히 달렸지만, 뒤돌아보니 그 길의 끝에는 내가 없었다. 해냈다는 기쁨과 충만함으로 딱 하루만 즐겁고 나면 이틀째부터는 마음이 쓸쓸해져서 다음 목표를 찾으려고 다시 두리번거려야 했다.

가장 좋아했던 바다와 눈밭에서 죽을 고비를 각각 한 번씩 넘긴 화랑이 형은 없던 '겁 신경'과 '겸손'을 감사하게 얻게 되어 그간의 '다이나믹'들과 작별을 고했다. 그리고 지금은 아이들 가르치고 틈틈이 공부하는 일만으로도 매우 만족하며 잘살고 있다. 죄다 관두고 보니, 남는 것은 그저 '내가 그것을 했었다'라는 문장 하나와 널브러진 잡동사니들뿐이다. 그간 무엇 때문에 그렇게 열심히 달렸을까? 과거엔 뿌듯했을 성취들을 물끄러미 바라보며 왠지 모를 헛헛함이 감돈다.

'그때 나는 외로웠고, 잊고 싶은 것들이 참 많았다.'

저녁 무렵이 되어서야 머릿속이 선명해졌다. 한 번쯤 더 보고 싶은 몇 가지만 남겨두고 단호하게 정리를 했다. 장비들은 당근에 내놓고 몇 가지는 나눔 하기로 했다. 동호회 운영진 시절에 받은 봉사패가 눈앞에서 반짝이며 마지막 유혹을 하고 있었는데, '유리는 일반 쓰레기지?' 하며 종량제봉투에 휙 던져 버렸다. 그때의 것들이 지금의 나를 설명해줄 수는 없기에, 이제는 나를 더욱 나답게 해줄 꼭 필요한 것들만 데리고 심플하게 살고 싶다.

'바이, 바이, 옛것들! 내가 나라고 믿었던 순간들!!'

[글배웅] 글쓰기 모임 첫 회 때 '나에게 글쓰기란 무엇인가?'라는 질문을 받았다. 나는 '흔적'이라고 대답했다. 먼 훗날 이 글을 다시 보게 된다면 괜히 쑥스럽고 얼굴이 화끈거리며 이불킥을 하게 될지도 모르겠지만, 이따금씩 추억하고픈 '나의 옛날'을 이렇게 글로 써서 흔적을 남길 수 있음에 감사하다.

게으름에 대하여

예전에 사립학교에서 함께 근무했던 부장님과 오랜만에 만났다. 재미나게 차담을 나누던 끝에 "제가 좀 게으른 면이 있잖아요!"라고 내가 말했는데, "그래? 자기가? 난 한 번도 게으르다고 생각해 본 적 없는데, 자기한테 그런 면도 있었어?"라며 부장님은 의외라는 듯이 되물으셨다. 그분과 내가 게으름을 판단하는 기준이 다를 수도 있고, 외출복을 입은 나와 잠옷을 입은 나 사이의 거리가 제법 멀어서 그럴 수도 있겠다 싶었다. 부장님은 나를 매우 부지런하고 항상 뭔가를 열심히 하는 사람이라 기억하고 있었다. 나를 아는 사람들 대부분이 아마 그럴 것이다. '너는 못 하는 게 뭐야?', '선생님은 늘 뭔가 열심히 하고 있네요. 본받아야겠어요.', '대단한 열정', '어쩜 그리 부지런해요?' 등은 내가 종종 직장에서

혹은 가까운 사람들로부터 듣는 피드백들이다. 사실 나는 게으르고 시간이 참 많이 필요한 사람인데 말이다. 얼마 전 기질성격검사(TCI)를 해봤는데 소척도들 중에서도 딱 '근면' 하나만 점수가 낮았다. 나다운 결과였다. 그런데 이상한 것은 내가 게으른 것을 구태여 숨긴 적이 없는데, 남들은 그걸 잘 못 알아본다는 것이다. 신기하다.

남들 눈에 어떻게 보이든, 그것이 진짜 나의 모습이든 아니든, '열심'도 '게으름'도 인정할 수밖에 없는 나의 조각들이라는 생각이 든다. '사회화된 나'와 '날것의 나', '페르소나'와 '쉐도우', '본캐'와 '부캐', '보여지는 나'와 '존재하는 나', '빛'도 나고, '그림자'도 나다. 피자 한 판을 몇십 조각으로 나눈 것 마냥, 내 안에는 정말 여러 잣대의 내가 살고 있다. T.P.O.에 맞게 옷을 입듯, 어디서 누구와 무엇을 하느냐에 따라 갈고닦아온 나의 잠재력을 적절히 꺼내어 쓸 뿐, 드러나는 모습도 드러나지 않는 모습도 모두 내가 맞다. 고로 나는 부지런과 열정도 있지만 게으름도 옵션으로 준비된 사람! 나의 온갖 옵션들에게 좀 더 관심을 기울여 주어야겠다.

방학인 요즘, 나는 나의 게으름과 친하게 지내려고 연습 중이다. 주말이나 방학처럼 한가할 때면 '이화랑! 너 너무 늘어져 지내는 거 아냐?' 하는 생각이 들 때가 많았다. 집을 나서거나 어떤 일을 할 때 유독 시작할 엄두를 내지 못하는 것, 주말에 집에만 콕

박혀서 종일 잠으로 머릿속을 비워야만 충전이 되는 패턴, 마감 때가 임박해서야 쫓기듯 과제를 시작하는 귀차니즘과 꾸물거림… 이런 나의 모습을 나는 '게으름'이라 불렀다. '이불 밖은 위험해', '넷플릭스 정주행', '하다 쉬고, 하다 삼천포' 등이 나의 게으름 목록들이다. 어떻게 보면 제대로 '완벽'하고자 하는 마음이 만든 부작용이라는 생각도 든다. '태만'이나 '나태'와는 조금 다른, 엄두가 나지 않거나, 피하고 싶거나, 혹은 마음의 준비가 다소 필요한 그런 상태가 되면 나는 어김없이 앞선 목록들을 찾게 되었다. 그리고 스스로 게으르다고 생각하며 괴로움에 바닥을 땅땅 치고서야 꾸역꾸역 밀린 일들을 시작할 힘을 얻곤 했었다. 어쩌면 죄책감에 이어 심장이 쫄깃쫄깃해지는 그런 긴박함과 아슬아슬한 성취감을 내가 즐겼는지도 모르겠다.

게으름에 대한 나의 생각은 코칭과 상담을 접하며 조금씩 순한 맛으로 변해가고 있다. 나의 있는 그대로를 내가 가장 사랑해주어야 한다는 것과 어떤 게으름이든 딴에는 착한 의도가 있음을 알게 되었기 때문이다. 충전이 있어야 방전도 있다. 게으름을 잘 챙겨야 부지런함도 발휘할 수 있다. 일과 공부에 빠져 정신없이 달리다 문득 방학이 되면 어떻게 시간을 보내야 할지 몰라 당황하던 나였지만, 방학이 선물해 주는 쉼과 재발견의 기회로 인해 개학 후 나는 교사로서 아이들을 더욱 뜨겁게 사랑하게 될 것이다. 쉼과 용기가 필요한 순간, 마음껏 게으를 수 있는 시간과 상황이 따라준다는 것이 얼마나 감사한 일인가! 이후로는 스스로에게 더 이상 회초리를 들지 않게 되었다.

'고단했지? 이제 쉼을 챙길 타이밍이야!!'

　죄책감을 느끼는 대신 스스로 토닥이는 연습을 조금씩 하고 있다. 창밖에 먼 산을 보거나 글을 쓰기도 하면서 말이다. 얼마 전 읽고 있던 책 속에서 '게으름은 사치스럽게 충분히 누려야 하는 것'이라는 구절을 발견한 날, 나는 너무 반가워서 일기를 썼다. 마음껏 게으를 수 있는 지금이 참 좋고 감사하다고 말이다. 게으름을 진정으로 즐기고 누릴 수 있는 내가 되면 좋겠다. 그래서 오늘은 여기까지만 써놓고 이만 게을러지러 간다. 호오이~~!

호구의 일기

여름방학을 맞아 하안거(夏安居) 선언을 한 후 불타는 자기계발을 하던 중에 우리 집 컴퓨터가 고장이 났다. 팬이 몇 바퀴 돌다가 자꾸만 멈춰버렸다. '에효, 날도 푹푹 쪄서 고단하구만, 너도 방학이 필요한 거냐!' … 지인을 불러 도움을 받을 수도 있지만, 약속을 잡고 필요한 부품을 주문하고 기다려야 한다. 그리고 만나서 도움만 받기가 괜히 미안해서 밥을 사든, 차를 사든, 술을 사든 해야지만 내 마음이 편할 것이다. 훈훈하지만 번거로운 절차가 따르는 일이었다. 무엇보다 저녁에 중요한 온라인 미팅이 있는 날이었기 때문에 컴퓨터를 당장 고쳐야 한다는 것이 가장 중요했다. 허리업! 허리업!

'제 1사분면의 일(7habits)'에 해당하는 급하고 중요한 일, 그날의 할 일 목록 1순위를 해결하기 위해 나는 동네 허름한 상가의 컴퓨터 수리점을 찾았다. 컴.알.못.에 기계치인 나로서 할 수 있는 최선의 선택이었다. 문이 잠겨 있어 우선 전화부터 하고 잠시 복도에 앉아 기다리고 있는데, 저쪽에서 다 키운 아들과 딸이 있을 법한 아저씨 한 분이 내 쪽으로 걸어오고 있었다. 싱긋 웃는 왠지 정직한 인상이라고 나는 판단하기로 했다. 출장을 다녀와 책상에 털썩 내려놓은 낡고 벗겨진 검정색 가죽 케이스 안에는 뭐가 잔뜩 들었기에 저렇게 틈새가 벌어져 있는 걸까? "맡겨 놓고 좀 있다 올까요?" 물으니, 설명을 듣고 가라고 한다. 솔직히 나는 들어도 무슨 말인지 잘 모르겠다. 하지만 사진까지 찍어가며 열심히 원인과 가능성을 설명하는 모습에서 일에 대한 그분의 자긍심과 집념 같은 것이 느껴졌다. 그래서 왠지 먼저 가라고 할 때까지는 더 앉아 있어야 할 것만 같았다. "네… 네에… 음, 네에~~" 나는 절반은 듣고, 절반은 구멍가게 만물상 내부를 곁눈으로 훑으면서 사장님의 설명을 편안하게 흘려듣고 있었다. 어지럽고 빼곡하게 부품들이 쌓여있는 진열장에는 사장님만의 익숙한 질서와 성실한 역사가 느껴진다. 구경하는 재미가 쏠쏠하다 보니 지루한 설명을 들으면서도 궁둥이가 무거운가 보다. 오랜만에 보는 재미난 공간이었다.

나는 불편함 없도록 알아서 잘 고쳐달라 말하고선 집으로 돌아왔다. 그리고 서너 시간쯤 흘러 다시 그곳을 찾았을 땐 많은 것이 변해있었다. 회전 팬에 붙은 먼지들을 잃어버렸다. 말썽 많은 하드 대신 안전한 새 하드가 반짝반짝 달려있고, 몇 가지 중고 부품들을 얻었다. 또 뭐라고 했더라? 아무튼 전원이 잘 켜지고, 각종 문서작업과 연수, 회의, 스터디 등을 할 수 있는 모든 프로그램이 원만하게 깔려있었다. 프린터 기종에 맞는 드라이버까지 설치해주는 세심함이 느껴진다. 백업도 해주셨다. 사장님은 무엇을, 어떻게, 왜, 얼마만큼 고쳤는지 열심히 설명하셨지만 나는 또 열심히 흘려들으며 벽에 붙은 계좌번호를 곁눈질하고 있었다. 그래서 대체 수리비는 얼마를 드려야 하는지가 궁금한 타이밍이었다.

가끔 물건을 사면서 흥정할 때면, 나는 가격을 이야기하는 사장님들의 다양한 눈빛들이 참 흥미롭다. 칼같이 단호한 사람, 눈동자가 흔들리는 사람, 뱀처럼 교묘한 느낌이 들 때도 있고, 눈빛이 너무 정직해서 돈을 더 주고 싶어지는 사람도 있다. 평소 관찰력이 기민한 편이라고 늘 자부해왔던 나에게 왠만한 야시짓은 통하지 않음을 알기에 나는 편안하게 얼마를 드리면 되는지 물어보았다. 메모지를 잠시 꺼내어 이것저것 정리하던 사장님이 말했다. "십 구만 원이네요." 그의 눈동자는 흔들림이 없었고 목소리도 그저 덤덤했다.

헐... 세심한 응대에 대한 감사로 집에서 아이스커피까지 내려서 갔는데, 십 구만 원이라는 말을 듣는 순간 "우와! 가격이 어마~ 어마~ 하네요!"라는 말이 반사적으로 튀어나왔다. 나는 잠시 멈추고 다음 행동을 위한 생각들을 정리해 보았다.

◆ 내가 예상했던 비용보다 훨씬 비싸다.

◆ 견적이 적절한지, 살을 더 붙였는지에 대한 정보는 없다.

◆ 나는 분명 알아서 잘 고쳐달라고 했고, 비용이 핵심이었다면, 애초에 정확한 수리비를 협상했어야 했다.

◆ 사장님은 나의 주문대로 컴퓨터가 충분히 제 기능을 할 수 있도록 자유롭고 신나게 수리를 했을 것이다.

◆ 일단 내 통장에 잔고는 있다.

◆ 19만원을 순순히 지불해야 할 이유는 무엇인가?

◆ 가치를 따져본다. '아.묻.따' 19만원을 흔쾌히 지불하면 내겐 어떤 이득이 있을까?

◆ 1~2만원만 깎아달라고 해볼까?

◆ 그렇게 세이브한 돈으로 내가 얻을 수 있는 행복의 크기는 얼마만큼인가?

◆ 사장님의 가진 기술과 노하우의 가치를 고객인 내가 인정해주고 네고 없이 수고를 감사하면?

⇨ 사장님은 그에 걸맞는 프라이드의 전문가가 될 것이다.

◆ 사장님이 나를 호구라고 생각한다면?

⇨ 그렇다면 그 스스로 사기꾼이 되기를 선택하는 것이다. 그건 그분의 인품이 할 몫이지, 나의 몫이 아니다.

◆ 나는 호구가 될 것인가? 품격있는 고객이 될 것인가?

◆ 그래! 어쩌면 나는 호구가 될지도 모르겠다!

⇨ 기왕 호구라면, 품격있는 '자발적 호구'가 되자!

"네. 방금 입금했습니다. 수고 많으셨어요. 말끔히 수리되어 좋네요!"라고 말하며 나는 그냥 생각 스위치를 꺼버렸다. 그 사장님이 일과를 마치고 가게 셔터를 내릴 때쯤 보람과 즐거움을 느끼면 좋겠다고 생각하면서 말이다. 나는 큰 마트 장바구니에 컴퓨터 본체를 담아 들고 걸어서 총총 집으로 돌아왔다. 코드를 꽂고 전원 스위치를 눌러보았다. "오! 부팅 잘 된다! 오! 속도 빠르네!", "우와! 특별히 더 설치할 것도 없고, 신속하게 잘 해결했다!", "어머나! 사장님이 백업한 폴더에 바로가기 설정까지 해둔 것 좀 봐! 찾기도 엄청 쉽네!!"라고 말하는 순간, 모니터에 비친 자발적 호구와 눈이 마주쳤다. 어이가 없어서 그냥 웃었다. 어쨌든 그날 저녁에 나는 순탄하게 온라인 미팅을 잘 마칠 수 있었고, 다음에는 미리 가격을 정확히 확인하고 맡겨서 고민이 없는 거래를 해야겠다고 마음먹었다. 비용이 가장 중요하다면 번거롭더라도 다른 경로를 알아봐야겠지만, 그날의 중요 포인트는 '신속, 정확, 편리'였기 때문에 그만하면 대만족이었다.

2022년에 19만 원어치 컴퓨터 수리를 받았던 그날의 경험담을 나보다 컴퓨터를 잘 아는 사람들에게 들려준 적이 있다. 대부분은 내가 바가지를 쓴 것 같다고 했다. 그럴 수도 있겠다. 나는 사장님이 그날 번 돈으로 집에 가서 아내와 맛있게 삼겹살 사다 먹었기를 바란다. 가게 월세에 보탬이 되었기를 바란다. 아들, 딸 학비, 혹은 손주들 용돈 주었기를 바란다. 깎고 싶었던 액수는 나에게 보다는 사장님에게 갔을 때 더 가치롭게 쓰일 수 있었기를 바란다. 내가 군말 없이 지불한 비용으로 누군가 자기 분야에 대한 인정을 받는 기쁨과 보람을 얻기를 바라는 그야말로 혼자만의 엉뚱한 상상의 나래를 펼쳤던 그날, 허름한 가게와 낡은 가방을 보면서 나는 왠지 그분이 가난할 거라고 생각하고 있었고, 19만 원이라는 견적에 적잖게 놀라면서도 이미 내 마음은 지갑을 연 상태였다. 그렇게 바라보기로 결정했기 때문이다. 어쩌면 사장님이 나보다 훨씬 더 부자일지도 모르겠다. 그냥 패스다. 두루두루 잘 살면된 거다.

1년 반이나 지난 지금에서야 일기를 다시 보니, 심리학 이론서에서 글로만 공부했던 몇몇 방어기제나 인지 오류와 같은 심리 작용의 예시들이 잔뜩 쓰여있는 것이 보인다. 나는 의심이 많고 사람을 꽤 잘 파악하는 사람이라고 생각했던 '확증편향', 고로 내가 믿음직스럽다고 생각하는 사장님이 제시한 가격은 합리적인 가격일 것이라는 '임의적 추론', 사장님의 인상과 태도에서 신뢰가 느껴지니 수리비도 정직할 거라는 '성급한 일반화', 모르고 바가지를 쓴 것이 아니라 그분이 일한 만큼 보람을 느끼도록 하기 위해 제시한 금액을 다 지불한 것이라고 생각하는 '합리화', 싱긋 웃는 왠지 정직한 인상이라는 생각을 하게 된 것과 동시에 걸려버린 '라포'라는 이름의 최면, 허름한 가게와 낡은 가방을 보고 그 사람이 부자는 아닐 거라고 생각한 겉모습 판단과 '초두효과' 그리고 돈을 다 내기로 이미 결정했기 때문에 인지부조화를 해결하기 위한 타당성을 찾아야만 했던 엉뚱한 사고의 전개... 일기를 읽고 다시 이 글을 쓰면서도 웃음이 풉풉 터지고 있다. 내가 사람을 잘 본다는 말은 일단 보류다. 어디 가서 코 베이고 사기당하지 않도록 늘 조심, 또 조심해야겠다. 내가 믿는 것이 사실일 수도 있지만, 사실이라고 믿고 싶은 것일 수도 있을 테니 말이다.

어떤 사람이 되어가고 있나요?

    몇 해 전 여름, 아침 시간을 좀 더 뜻깊게 보내고 싶었던 나는 줌으로 만나는 새벽 그룹코칭에 참여하게 되었다. 새벽 다섯 시부터 일어나는 것이 결코 쉽지 않았지만, 더 자고 싶은 유혹을 단칼에 뿌리칠 수 있을 만큼 보람이 느껴져서 몇 달간 거르지 않고 그 코칭 모임에 열심히 참여했던 기억이 난다. 이른 새벽에 비몽사몽 떠지지 않는 눈으로 좀비처럼 허공을 더듬어가며 컴퓨터 책상을 찾아 앉기만 하면 싱잉볼 울림과 함께 그룹 코칭이 시작되었다. 우선 센터링 명상을 잠시 하고, 이후 리더가 제시하는 그날의 질문에 처음 답을 한 사람이 릴레이식으로 다른 참가자에게 질문을 전달하면서 들은 답변에 대해 용기 피드백을 주는 방식이었다. 그런 다음 그날 하루 가져갈 각자의 키워드를 떠올려보고 모두에게 소개하는 그룹코칭의 순서를 따라가다 보면, 마칠 때 즈음엔 가슴이 훈훈해지면서 하루를 시작할 기운이 불끈불끈 생겨나곤 했었다. 어느 날은 '내가 아는 나와 보여 지는 나'에 대한 주제로 새벽을 열었다. 함께하는 멤버들 간에 서로 어떤 인상을 받았는지에 대해 나누면서, 그룹 코칭 멤버들이 보는 나의 이미지를 들을 때마다 나는 하나씩 차곡차곡 메모를 해보았다. 친절한 엄마, 엄마 같은 사람, 윤활유 역할, 아이를 있는 그대로 받아주면서 응원해주는 엄마, 내면이 강한 사람, 배려가 느껴지는 말 등등... 와우! 그날 새벽 나는 어마어마한 선물을 받게 되었다. 감사하다는 말을 하고 싶어서 내가 들었던 '엄마'라는 단어로 말문을 열려고 하는 순간, 갑자기 눈시울이 붉어졌다. 지금껏 이루지 못했던 꿈이라 내 마음 한구석을 늘 쓸쓸하게 만들었던 그 이름, '엄마'... 나는 정말 누군가의 엄마가 되고 싶었던 사람이었다. 그날 붉어진 눈시울은 슬퍼서 그런 것이 아니라, 이미 나는 엄마 같은 사람이기도 하구나 하는 감격의 상징 같은 것이었다. 내가 그렇게 바래 왔던, 가정을 이루고 한 아이의 엄마가 되는 꿈은 비록 내려놓았지만, 누군가가 나를 엄마처럼 느낀다면 기꺼이 엄마 마음으로 보듬어줘야지! 누가 나를 엄마라고 불러주면 나는 엄마가 된다. 우리 엄마처럼 좋은 엄마가 말이다. 그날 새벽 그룹 코칭을 마치고, 나는 이미 모든 것을 다 이룬 사람이 되어 벅찬 마음으로 하루를 시작했다. 가슴 뭉클하게 감사했던 날이었다.

대학교 2학년 때 지방 연극축제 워크샵에 참가했던 나는 당시에 이름만 대면 누구나 알 법한 원로 배우 몇 분과 유명한 연출가 앞에서 자기소개를 하게 되었다. "그래, 너는 뭐가 되고 싶냐?" 모두의 시선이 주목되는 순간, 스물한 살의 당돌했던 나는 주저 없이 꿈들을 쏟아내었다. "음.. 좀 많아요! 다섯 가진데... 저는 배우! 연출가! 학자! 선생! 그리고 엄마가 되고 싶습니다!" 그 말을 듣던 시커멓고 배 나온 연출가는 껄껄 웃었다. "야, 임마! 너 그중에 한 가지라도 제대로 하면 내 손에 장을 지진다!" (지지와 격려가 아닌 지적과 군림을 하던 그 사람은 지금 감옥에 있다. 이*택) 그러든가 말든가 나는 '훗날 두고 보라지!' 하는 마음으로 내 할 인사를 마친 뒤 씩씩하게 그 자리를 나섰다. 그날 일로 오기라도 생겼던 걸까? 다섯 가지 꿈을 정말 다 이루고 싶었던 나는 이후로 몇 년을 정말 열심히 보냈고, 교직을 이수한 동시에 복수전공도 독하게 챙겨가며 대학을 졸업했다. 다섯 가지 아닌 오십 가지 꿈이라도 몽땅 다 씹어먹을 기세였다.

　　아무튼, 한때 나는 배우였고 국립극장과 대학로에서도 공연을 했다. 말보다는 비언어적 표현과 움직임에 관심이 많은 배우였고, 현대무용을 복수전공하며 퍼포먼스 그룹 작업에도 참여하고, 공연 움직임 안무도 경험해보았다. 옛날 옛적의 일이고 이제 연극은 접었지만, 내가 가르치는 아이들 앞에서만큼은 아직도 제법 잘 나가는 배우다. 눈썹만 찡긋해도 빵 터지는 아이가 있다. 수업을 위한 발문, 제스쳐, 교사의 동선 등등, 모든 것에 연극적인 요소가 잔뜩 녹아있는 교육현장에서 나는 매일 아이들과 즉흥 공연을 펼치고 있다. 그리고 내 인생을 가장 잘 아는 전문가로서 나의 삶도 꾸준히 연출하며 살고 있다. 나는 이미 배우이자 연출가의 꿈을 이룬 것이다.

또 하나의 꿈도 이루어졌다. 나는 가르치는 일로 먹고 사는 교사가 되었다. 아이들은 나를 '선생님'이라고 부른다. 지나가는 누가 '이화랑 선생님!' 하고 불러도 전혀 어색함 없이 돌아보게 되는, 나는 정말로 선생님이 되어버렸다. 그리고 학자는… 논문을 쓰기는 했다. 케이스 연구를 했고, 그때 느낀 것들이 근간이 되어 지금도 교육적으로 구조화된 자유와 장애학생들의 선택권을 중요하게 생각하며 현장 연구를 이어가고 있다. 평생학습자의 자세로 상담과 코칭도 배우고 있고, 궁금하면 계속 후벼 파며 열심히 공부도 하고 있다. 그럼 나는 이미 학자(연구자)이기도 한 것일까?

예전에 스물한 살의 나를 보고 웃으며 비아냥거렸던 고약한 연출가에게 증명이라도 해 보이듯, 나는 이미 많은 것을 이루고 멋진 삶을 살고 있다. 그러나 이루지 못한 마지막 꿈 하나를 상기하게 될 때면 실패감을 느끼며 스스로가 초라하게 느껴지기도 한다. 누군가의 엄마가 되는 것! 우리 엄마가 내게 그랬듯 다정하고 지혜로운 친구 같은 엄마가 되고 싶었던 그 꿈만큼은 맘처럼 잘 되지를 않았기 때문이다. 철모를 때 결혼해서 잠시 살았던 사람과는 아이를 가지면 안 되는 사연이 있었다. 그리고 몇 년 후 다시 혼자가 되어 진지하게 누군가를 만나보려고 할 때면, 내가 누군가의 삶을 구원할 수 있을 거란 오만함으로 상처가 많고 곡절이 많은 사람들만 자꾸 선택하게 되다 보니 좀처럼 가정을 이루게 되기까지 인연이 이어지질 않았다. 엄마가 되고 싶은 욕심에 한때는 결혼에 대한 조바심도 들었지만, 생물학적 출산 적령기를 지나면서부터는 서서히 바람과 욕심을 내려놓게 되었다. 그래도 생각하면 아쉽고 속상한 것은 어쩔 수가 없는 일이다. 새벽 코칭 시간에 '엄마 같은 사람'이라는 피드백에 눈시울이 붉어지며 감격했던 것도 그런 이유에서일 것이다. 내가 유일하게 포기한 꿈, 되고 싶어도 될 수 없었던 그 이름, 엄마! 내겐 참 아픈 말이다.

언젠가 사진작가인 아빠가 출사 중에 우리 집에 잠시 들러, 너도 남들처럼 가정을 이루고 아이도 낳고 살아봐야 하지 않겠냐고 말씀하신 적이 있다. 나는 그때, 말씀하신 것처럼 평범하게 살고 싶은데 내 맘같이 잘되지를 않는다고, 손주 못 안겨 드려 죄송하지만 이렇게 사는 것도 나의 삶임을 이제는 받아들이기로 했다고 진지하게 말씀을 드렸다. 속상한 내 마음이 아빠한테 그대로 전해졌는지 이후로 아빠는 그 점에 대해선 일절 언급하지 않으신다. 나 역시도 그때를 기점으로 스스로 어느 정도 단념을 하게 된 것 같다. 그렇게 언제부턴가 내 삶의 생긴 모양 그대로를 인정하며 편안하게 살기로 마음먹고 난 다음부터는 누군가 내게 한 말 또 하고 한 말 또 해가며 충고를 하더라도 그러려니 하고 웃으며 넘길 수 있게 되었다.

요즘 나는 그냥 나답게 쓰임이 있는 삶을 살고 싶다. 출산율 감소가 심각한 사회문제로 떠오르고 있는 시국에 새나라의 어린이를 생산하여 애국할 수는 없지만, 대신 한해 한해 만나는 나의 제자들에게 최선을 다하며 살아보기로 나는 결심했다. 나와 지내는 일 년 동안 경험한 소중한 기억들이 아이들의 가슴에 차곡차곡 쌓여서 용기를 주는 좋은 자원이 되면 좋겠다. 그래서 나는 우리 엄마가 나를 바라보던 눈빛, 내게 들려주던 그 말투, 내게 내어주셨던 그 마음을 떠올리며 매일매일 아이들을 만난다. 그 때문인지는 몰라도, 모나고 삐딱한 녀석, 쉽게 화내거나 울적한 아이, 불안한 아이들이 유독 나를 잘 따른다. 내가 그 아이들의 엄마는 될 수 없지만, 그 친구들이 느끼는 결핍 같은 것이 있다면 숭숭 구멍 난 마음에 훈훈한 온기를 불어넣어 주고 싶다. 가끔은 친구 같고, 가끔은 엄마 같고, 가끔은 누나 같고, 또 가끔은 그들의 눈에 엄청 멋져 보이는 제자들이 닮고 싶은 '멀티 롤모델'이 되어주고 싶다. 우리 엄마가 내게 그랬듯이 말이다.

빅터프랭클이 쓴 '죽음의 수용소에서'를 읽고, 한동안 무엇을 위해 살아야 할지 내 삶의 의미에 대해서 한참 고민했던 나는, 코칭 인사이트 카드의 질문 중에 '당신은 어떤 사람이 되어가고 있나요?'라는 질문을 참 좋아한다. 사람이 태어나 죽는 순간까지를 모두 발달과정으로 볼 때, 다섯 가지 꿈을 거침없이 읊었던 20대의 나와, 되고 싶은 나와 실제의 나 사이에서 방황했던 30대의 나,

그리고 지금 현재의 나는 각각 다른 발달과업을 수행하는 시기이다. 어떤 사람이 되어가고 있느냐는 질문에 몇 해 전까지는 어떤 지위나 역할이 되는 것을 주로 떠올렸다면, 이제는 타이틀을 얻고 덩치를 키우는 식의 성장이 아닌, 지금 있는 골격 그대로 점점 더 단단하고 깊어지는 '성숙'을 꿈꾸게 된다. 그리고 무엇을 위해 사는가에 대한 질문에도 이제는 분명하게 답할 수 있다.

나는 잘 죽을 수 있기 위해서 제대로 산다. 언제 어디에서 갑자기 죽음을 맞이하게 되더라도 당황하지 않고 '이만하면 재미있게 살았다'며 후회 없이 눈 감을 수 있는 내가 되기를 바란다. 어디에서 무엇을 하든 감사할 줄 알고, 주어진 자리에서 내가 할 수 있는 온 마음을 다하며 살아야지! 책임과 의무가 아닌, 진실하게 우러나는 귀한 마음으로 가족을 살피고, 즐겁게 가르치며 사랑하는 제자들을 단단하게 키워내고, 내가 경험해보고 싶은 것들을 마음껏 접해보고, 살면서 만나게 되는 인연들과 서로 배우고 좋은 것을 나누어 가며 그윽하게 향기 나는 삶을 살고 싶다. 그동안 다소 굴곡이 많았고, 많은 아픔을 사서 경험했던 나였기에, 나처럼 헤매는 사람들을 만나게 된다면 진심으로 응원하고 지지하는 가디언 (guardian, 스테판 길리건 외 '영웅의 여정' 중)이 되어주고 싶다. 가는 길이 너무 힘들다고 하면 보이지 않는 손을 조용히 내밀어주고, 구태여 험한 길로 가보겠노라 하면 말리지 않고 반보쯤 뒤에서 보일 듯 말 듯 말없이 따라 걷는 그림자가 되어주고 싶다.

'당신은 어떤 사람이 되어가고 있나요?' 읽을 때의 내면 상태나 삶의 모습에 따라 조금씩 다른 답을 하게 되는 것이 흥미로운 질문이다. 뜻깊은 경험이었던 이번 글쓰기 코칭 과정을 마무리하면서도 스스로 또 한 번 조용히 물어본다. 나는 어떤 사람이 되어가고 있는지 말이다. 어디에서 무엇을 하며 살든, 주어진 환경 속에서 내가 만들어낼 수 있는 가장 아름다운 모습으로 진화하는 사람, 환경에 가장 적합한 모습으로 완성되어가는 소나무 같은 사람, 척박한 땅에서도 감사를 캐내는 사람, 나답게 쓰임이 있는 삶을 사는 사람, 언제 죽어도 후회가 남지 않는 삶을 사는 사람, 커피를 너무너무 사랑하는 사람, 그리고 지혜롭고 다정했던 우리 엄마 같은 사람이 되어가고 있다고 오늘 나는 대답해본다. 배우, 연출, 학자, 선생, 엄마와는 사뭇 다른 결의 대답을 할 수 있는 내가 되어가고 있다. 감사하다.

책을 마치며

강승연

혼자라면 엄두도 내지 못했을 책 출간을 일곱 분의 코치님들과 함께라서 할 수 있었습니다. 이끌어 주신 조진영 코치님께 진심으로 감사드립니다.

지난 겨울 매주 한 가지 주제로 코칭 대화를 나누며 그 느낌을 글을 쓰면서 나 자신을 성찰해 볼 수 있는 귀한 시간이 되었고 이렇게 시간이 지나 함께 책 출간을 하게 되어 기쁩니다. 내 삶에서 의미 있는 일이 무엇이고 그것을 함께 나누는 것의 또 어떤 의미인지 배우게 된 행복한 시간들이었습니다.

권민성

결혼을 하고, 제 2의 인생을 맞으며 혼란스러웠던 삶을 안정시키고 저를 돌아보는 8주간의 시간이었습니다. 2024년은 "채우는 한해"로 보내자던 제 목표에 나침반이 되어준 작업이었습니다. "팔 수 있는 책"을 써보자던 꿈에 한걸음 나아갈 수 있어 행복하고 즐거운 시간이었습니다. 이 경험은 저에게 또 다른 "문"을 열어주었고, 이제 또 더 넓은 세상에서 또 다른 꿈을 꾸어 보려고 합니다. 빛을 담을 수 있는 글을 쓰도록 도와 주신 공저 코치님들께도 감사 인사를 전하고 싶습니다.

김수경

글쓰기를 좋아했던 십대 소녀로 돌아가 그저 생각이 흐르는 대로 적을 수 있어서 좋았습니다. 잔뜩 웅크리고 뭉쳐 있던 어깨를 부드럽게 어루만지고 살금살금 풀어주신 조진영 코치님과 동료들에게 감사의 마음을 전합니다. 굳이 꺼내어 보려 하지 않았던 나를 마주하고, 나만의 행복을 찾아 떠나보고, 아팠던 순간과 설레었던 순간들을 떠올려 의미를 부여하고, 마침내 찬란한 나를 찾아가는 행복한 여정이었습니다. 부끄러운 수준이나, 세상에 내어 놓는 첫 작품이라는 소중한 의미를 담아 온전한 기쁨으로 맞이하렵니다.

김혜영

글을 쓰는 동안 잊고 지내던 오랜 기억들이 말갛던 일상에 뿌연 먼지를 일으켜 재채기가 나오는 시간들이었습니다. 저에게는 이것도 의미 있는 시간들이지만 독자분들에겐 조금 더 정제된 글로 인사드리지 못함이 아쉽습니다.
한바탕 몸살을 앓고 나면 한 뼘 성장했던 어린 시절처럼 글을 마치며 성장한 저 자신을 기대해 봅니다. 이런 시간들을 선물해 준 조진영 코치님과 동료 코치님들께 감사드립니다. 그리고 여기까지 모든 것이 은혜임을 고백합니다. 감사합니다.

박선미

내 책꽂이에는 초등학교 때 쓴 일기장이 3권 있다. 옛날 고향 집을 허물면서 귀하게 구한 일기장이다. 누런 종이에 꾹꾹 눌러쓴 일기를 볼 때면 타임머신을 타고 어린 시절의 나를 만나는 듯한 신비로움과 정겨움이 느껴진다.

인생의 후반기에 막 접어든 올 새해는 조진영 코치님과 글쓰기 코칭으로 희망차게 시작했다. 줌으로 서로를 소개하던 첫 만남부터 왠지 친근함이 느껴지고 '나를 고스란히 드러내도 괜찮겠구나!' 하는 안전감이 느껴졌다. 여러 테마별로 서로에게 질문하고 답하면서 그동안의 삶의 여정과 미래에 대한 꿈들을 펼쳐나간 것이 벌써 책으로 엮어지다니... 참 감격스럽다!

나 혼자였다면 책을 쓰는 일은 엄두도 못 낼 어마어마한 일이었겠지만, 함께 쓰고 함께 나누었기에 이렇게 수월하게 오지 않았을까 생각된다.

1차 편집본이 나왔을 때 사실 내 글을 다시 보고 싶지 않았다. 너무 부끄럽기도 하고 뭔가 고쳐야 하는데 어디부터 건드려야 할지 너무나도 막막했기 때문이다. 하나, 둘 고치기 시작하면 한도 끝도 없을 듯하여 그냥 처음 쓴 그대로를 살리기로 했다.

지금은 너무 부족하고 부끄럽겠지만 30년 후에 다시 이 글을 보았을 때 날 것 그대로의 나를 만날 수 있을테니 말이다. 마치 초등학교 때 일기를 보는 것처럼...^^

함께 했던 좋은 분들과 글쓰기를 이끌어 주신 조진영 코치님께 깊은 감사를 드리고 싶다.

안재욱

글쓰기 모임 시작부터 마지막까지 진행 과정과 느낌이 너무 좋았다. 빛을 담는 글쓰기 코칭 모임에 참여한 코치님들과 나눴던, 솔직하면서 이유 있는 대화 내용 들은 좋은 질문을 할 줄 아는 코치로서의 역할도 수행하고 우리들의 글감도 되었다. 한국코치협회의 코치인증을 받은 코치들이라 그런지 대화가 시작되면 예정된 모임 종료 시간을 훌쩍 넘기기 일쑤였지만 그것도 의미있는 추억으로 남았다. 진행해주신 조코치님과 함께하신 코치님들에게 감사의 마음을 전한다.

개인적으로 두 번째 수필집을 작성하는 시간이었다. 첫 번째 수필집보다는 글 쓰는 열정이 생각보다 약했다. 두 번째라 글쓰기가 더 쉽고 더 자신 있게 잘 쓸 줄 알았다. 그런데 이상하게 더 힘들었다. 책이 출판되면 누군가가 내 글을 읽게 될 거라는 부끄러움이 다시금 몰려왔다. 아마 앞으로도 글을 쓸 때마다 이 감정은 사라지지 않을 것 같다.

그래도 계속 글을 쓰고 싶고, 쓰게 될 것이다. 남은 생에 하고 싶은 우선순위가 글쓰기고 글을 쓰는 시간만큼은 몰입되어 혼자만의 행복한 시간을 느끼기 때문이다. 내 사유와 내 시선을 독자들에게 글로 전달하고 내 글에 대해 함께 이야기하는 시간을 갖고 싶다. 작가라면 가져야 할 꿈이 생겼다.

이화랑

 예전에 한 친구가 자주 불러주던 나의 애칭은 '따뜻한 로보트'였다. 속정은 깊은데 온갖 잡다한 생각으로 가득 차서 왠지 공감 능력이 떨어진다는 게 그 이유였다. 심리학을 공부하면서 나는 내 기질이나 성격을 조금씩 들여다보고 있는데, 어릴 적부터 예민했던 나는 스스로를 보호하기 위해 아픔이나 슬픔을 애써 외면하며 살아왔고, 그래서 아마 감정보다 사고가 먼저 반응하는 사람이 되었을 수도 있겠다는 짐작이 된다. 이것이 맞는 길인지 나 자신을 끊임없이 의심해가며 어딘가 화가 잔뜩 난 듯 몰입할 거리를 찾아야 했던 사람, 할 말 다 할 것 같은 겉모습과 달리 본인 정서의 자각엔 한없이 둔했던 사람, 그리고 그런 스스로가 너무 측은해서 머릿속이 온통 '나'로만 가득 찬 채로 40년을 가까이 살아왔던 것 같다. 임상심리수련과정 수퍼바이저님은 나 같은 내담자들에게 살아온 인생을 되돌아보는 작업을 권하신다고 했다. 그런 의미에서 이번 글쓰기 작업은 내가 앞으로 좀 더 다채롭고 성숙한 정서로 풍요로운 삶을 살 수 있도록 돕는 자양분이 되어줄 것이다. 기대가 된다.

 '철인왕후'라는 드라마를 보면, 원치 않게 몇백 년 전으로 시간 이동을 해버린 주인공이 궁궐 연못의 바위에다 '괜히 왔다 가네, 장봉환'이라는 글귀를 새기는 장면이 나온다. 걸레스님으로 유명했던 화가 중광스님(1934~2002)이 남기신 묘비명 '괜히 왔다 간다'를 오마주한 듯한데, 왠지 기억에 남는 장면이었다. 누군가에게 귀감이 될 만한 대단한 삶은 아닐지라도 나 역시 세상 어딘가에 나의 흔적을 조그맣게나마 남겨보고 싶은 마음이 문득 생겼다. 어쩌면 지나간 삶이 남겨놓은 추억과 의미를 사진 찍듯 흔적으로 남겨두고 나로 가득 찼던 시절을 홀연히 비워내 보고 싶었는지도 모른다. 그러나 한편으로는 글쓰기 코칭 과정에 참여하는 것이 조금은 망설여졌었다. 아무도 신경 쓰지 않는데 괜히 혼자서만 평가에 신경을 쓰며, 내가 어디까지를 오픈할 수 있을까 하는 두려운 마음 때문이었다. 그리고 요즘 웹상에는 작가들이 넘쳐나고 글을 잘 쓰는 사람들이 너무나도 많다. 나의 이야기가 담긴 책을 내보고 싶다는 바람과 내가 쓴 글이 과연 책에 실릴 정도의 수준이 되는가 싶은 의구심 사이에서 갈등하며 신청 마감 직전까지도 선뜻 결심이 서질 않았었는데, 그런 내게 포근하게 용기를 불어넣어 주며 귀한 경험의 장을 열어주신 사랑 가득한 조진영 코치님께 감사드린다. 마지막까지 스스로 마무리할 수 있도록 지혜롭게 기다려주신 덕분에 쫓기지 않고 잘 마칠 수 있었는데, 이제 갓 마감된 글을 코치님께 넘기며 이후의 편집작업이 얼마나 고단하실까 하는 염려와 함께 죄송한 마음이 든다. 그리고 소중한 시간을 함께해주신 '빛글 2기' 멤버들에게도 특별한 감사를 전하고 싶다. 매주 금요일 저녁마다 반갑게 만나 이런저런 이야기를 나누다 보면 어느새 마음이 훈훈해진 채로 한 주를 마무리할 수 있었던 감사한 시간이었다. 모임을 마칠 때즈음 어렴풋이나마 어떤 글을 쓰고 싶은지 윤곽이 잡혀가는 것도 참 신기했다. '함께'의 힘이다.

어느새 5월이 되었다. 최종 탈고 전에 글을 다시 읽으며 나는 무척 놀라고 있다. 글을 쓰면서 어떻게 살아야겠다고 마음먹었던 것들이 있었는데, 이미 내가 그것들을 다 이루며 살고 있음을 확인했기 때문이다. 우리 학교 텃밭과 온실이 십여 년 만에 새롭게 단장해 학교 구성원 모두의 자연학습장이자 쉼터가 되어가고 있고, 아이들도 농생명 시간을 꽤 재미있어하는 눈치다. 그러고 보니 이번에 고향집 에어컨도 바꿔드렸다. 글 쓴 내용을 지켜야 할 공약처럼 체크하며 지낸 것은 아닌데, 하나하나 이루어지고 있다는 것이 경이롭다. 이렇듯 나를 위한 이번 글쓰기는 지나간 나와 지금의 나, 그리고 앞으로의 내가 함께 만나는 뜻깊은 경험이었다. 골똘히 생각하고 여러 번 되뇌어가며 내 안에 더욱 진하게 녹아들어서 새로운 나로 빚어지는 시간이었다. 누가 읽어줬으면 하는 글이라기보단 나를 위한 타임캡슐 같은 글들을 '괜히 왔다 가네' 하듯 지금 여기 조용히 새겨두고 간다. '내가 책을 낼 수 있을까?' 하는 의심은 '내가 책도 낼 수 있네' 하는 뿌듯함으로 변해가고 있다. 앞으로 살아갈 동안 두고두고 용기가 되어줄 것이다. 어떤 길이 옳은지 정답은 없다. 곡직향전(曲直向前)! 충분히 잘해왔고, 잘하고 있고, 잘 될 것이다. 사랑하는 사람들을 잠시 떠올려 본다. 모든 것이 그저 감사하다.

-2024년 5월, 고요한 월평동 벙커에서 이화랑 새김-

조진영

함께 한 여덟 번의 만남 동안 참 행복했습니다. 마음을 열어 스스럼없이 내보이는 진솔함 속에서 이 한 권의 책이 소중하게 만들어졌습니다.

빛을 담는 글쓰기 2기를 통해 만나, 짧은 시간이었지만 지나온 소중한 삶을 선뜻 내어 보여 주시고, 그 안에 짊어 지고 있던 삶의 무게를 내려 놓으시면서, 또 다른 행복을 찾기 위한 여정을 떠나는 우리들을 보며, 마음이 참 따뜻했습니다.

우리가 마음을 열어 함께 삶을 위로하며 격려하고, 기쁨으로 한줄 한줄 엮어낼수 있었던 것은 우리가 진심으로 만났기 때문인 것 같습니다.

이렇게 일곱 분과 함께 했던 시간과 소중한 글들을 품어, 밝은 빛을 가득 담아 이 한 권에 소중하게 엮어 간직하겠습니다.

이 책이 시작이 되어 앞으로 이어지는 삶에 또 다른 설렘과 기쁨으로 행복하시기를 진심으로 기도드립니다. 감사합니다.

-2024년 6월 장미향 가득한 날에-

우리들은 함께 했습니다.
호흡하고, 나누고, 내려놓고, 울고, 웃고...
그러고 나니 다시 설레기 시작했습니다.

이제 우리들은 설렘으로
다음 코스를 기다리는 중입니다.